D1351714

Ephraim
Kishon
Familiengeschichten
Satiren

Ephraim

Kishon

Familiengeschichten

Satiren

Ins Deutsche übertragen von Friedrich Torberg
Auswahl aus »Kishon's beste Familiengeschichten«

Lizenzausgabe mit Genehmigung des Langen-Müller Verlages, München
für Bertelsmann Reinhard Mohn OHG, Gütersloh
die Europäische Bildungsgemeinschaft Verlags-GmbH, Stuttgart
und die Buchgemeinschaft Donauland Kremayr & Scheriau, Wien
Diese Lizenz gilt auch für die Deutsche Buch-Gemeinschaft
C. A. Koch's Verlag Nachf., Berlin – Darmstadt – Wien
Gesamtherstellung Mohndruck Reinhard Mohn OHG, Gütersloh
Printed in Germany · Buch-Nr. 05354 6

INHALT

Ein Vater wird geboren

Gegen Morgen setzte sich meine Frau, bekanntlich die beste Ehefrau von allen, im Bett auf, starrte eine Weile in die Luft, packte mich an der Schulter und sagte:
»Es geht los. Hol ein Taxi.«
Ruhig, ohne Hast, kleideten wir uns an. Dann und wann raunte ich ihr ein paar beruhigende Worte zu, aber das war eigentlich überflüssig. Wir beide sind hochentwickelte Persönlichkeiten von scharf ausgeprägter Intelligenz, und uns beiden ist klar, daß es sich bei der Geburt eines Kindes um einen ganz normalen biologischen Vorgang handelt, der sich seit Urzeiten immer wieder milliardenfach wiederholt und schon deshalb keinen Anspruch hat, als etwas Besonderes gewertet zu werden.
Während wir uns gemächlich zum Aufbruch anschickten, fielen mir allerlei alte Witze oder Witz-Zeichnungen ein, die sich über den Typ des werdenden Vaters auf billigste Weise lustig machen und ihn als kettenrauchendes, vor Nervosität halb wahnsinniges Wrack im Wartezimmer der Gebärklinik darzustellen lieben. Nun ja. Wir wollen diesen Scherzbolden das Vergnügen lassen. Im wirklichen Leben geht es anders zu.
»Möchtest du nicht ein paar Illustrierten mitnehmen, Liebling?« fragte ich. »Du sollst dich nicht langweilen.«
Wir legten die Zeitschriften zuoberst in den kleinen Koffer, in dem sich auch etwas Schokolade und, natürlich, die Strickarbeit befand. Das Taxi fuhr vor. Nach bequemer Fahrt erreichten wir die Klinik. Der Portier notierte die Daten meiner Frau und führte sie zum Aufzug. Als ich ihr folgen wollte, zog er die Gittertüre dicht vor meinem Gesicht zu.
»Sie bleiben hier, Herr. Oben stören Sie nur.«
Gewiß, er hätte sich etwas höflicher ausdrücken können. Trotzdem muß ich zugeben, daß er nicht ganz unrecht hatte. Wenn die Dinge einmal so weit sind, kann der Vater sich nicht mehr nützlich machen, das ist offenkundig. In diesem Sinne äußerte sich auch meine Frau:
»Geh ruhig nach Haus«, sagte sie, »und mach deine Arbeit wie immer. Wenn du Lust hast, geh am Nachmittag ins Kino. Warum auch nicht.«

Wir tauschten einen Händedruck, und ich entfernte mich federnden Schrittes. Mancher Leser wird mich jetzt für kühl oder teilnahmslos halten, aber das ist nun einmal meine Wesensart: nüchtern, ruhig, vernünftig – kurzum: ein Mann.

Ich sah mich noch einmal in der Halle der Klinik um. Auf einer niedrigen Bank in der Nähe der Portiersloge saßen dicht gedrängt ein paar bleiche Gesellen, kettenrauchend, lippennagend, schwitzend. Lächerliche Erscheinungen, diese »werdenden Väter«. Als ob ihre Anwesenheit irgendeinen Einfluß auf den vorgezeichneten Gang der Ereignisse hätte!

Manchmal geschah es, daß eine vor Aufregung zitternde Gestalt von draußen auf die Portiersloge zustürzte und atemlos hervorstieß:

»Schon da?«

Dann ließ der Portier seinen schläfrigen Blick über die vor ihm liegenden Namenlisten wandern, stocherte in seinen Zähnen, gähnte und sagte gleichgültig:

»Mädchen.«

»Gewicht?«

»Zweifünfundneunzig.«

Daraufhin sprang der neugebackene Vater auf meinen Schoß und wisperte mir mit heißer, irrsinniger Stimme immer wieder »zweifünfundneunzig, zweifünfundneunzig« ins Ohr, der lächerliche Tropf. Wen interessiert schon das Lebendgewicht seines Wechselbalgs? Kann meinetwegen auch zehn Kilo wiegen. Wie komisch wirkt doch ein erwachsener Mann, der die Kontrolle über sich verloren hat. Nein, nicht komisch. Mitleiderregend.

Ich beschloß, nach Hause zurückzukehren und mich meiner Arbeit zu widmen. Auch waren mir bereits die Zigaretten ausgegangen. Dann fiel mir ein, daß ich vielleicht doch besser noch ein paar Worte mit dem Arzt sprechen sollte. Vielleicht brauchte er irgend etwas. Eine Aufklärung, einen kleinen Ratschlag. Natürlich war das nur eine Formalität, aber auch Formalitäten wollen erledigt sein.

Ich durchquerte den Vorraum und versuchte den Aufgang zur Klinik zu passieren. Der Portier hielt mich zurück. Auch als ich ihn informierte, daß mein Fall ein besonderer Fall sei, zeigte er sich in keiner Weise beeindruckt. Zum Glück kam in diesem Augenblick der Arzt die Stiegen herunter. Ich stellte mich vor und fragte ihn, ob ich ihm irgendwie behilflich sein könnte.

»Kommen Sie um fünf Uhr nachmittags wieder«, lautete seine Antwort. »Bis dahin würden Sie hier nur Ihre Zeit vergeuden.« Nach diesem kurzen, aber aufschlußreichen Gedankenaustausch machte ich mich beruhigt auf den Heimweg. Ich setzte mich an den Schreibtisch, merkte aber bald, daß es heute mit der Arbeit nicht so recht klappen würde. Das war mir nie zuvor geschehen, und ich begann intensive Nachforschungen anzustellen, woran das denn wohl läge. Zuwenig Schlaf? Das Wetter? Oder störte mich die Abwesenheit meiner Frau? Ich wollte diese Möglichkeit nicht restlos ausschließen. Auch wäre die kühle Distanz, aus der ich die Ereignisse des Lebens sonst zu betrachten pflege, diesmal nicht ganz am Platze gewesen. Das Ereignis, das mir jetzt bevorstand, begibt sich ja schließlich nicht jeden Tag, auch wenn der Junge vermutlich ein Kind wie alle anderen sein wird, gesund, lebhaft, aber nichts Außergewöhnliches. Er wird seine Studien erfolgreich hinter sich bringen und dann die Diplomatenlaufbahn ergreifen. Schon aus diesem Grund sollte er einen Namen bekommen, der einerseits hebräisch ist und andererseits auch Nichtjuden leicht von der Zunge geht. Etwa Rafael. Nach dem großen niederländischen Maler. Am Ende wird der Schlingel noch Außenminister, und dann können sie in den Vereinten Nationen nicht einmal seinen Namen aussprechen. Man muß immer an die höheren Staatsinteressen denken. Übrigens soll er nicht allzu früh heiraten. Er soll Sport betreiben und an den Olympischen Spielen teilnehmen, wobei es mir vollkommen gleichgültig ist, ob er das Hürdenlaufen gewinnt oder das Diskuswerfen. In dieser Hinsicht bin ich kein Pedant. Und natürlich muß er alle Weltsprachen beherrschen. Und in der Aerodynamik Bescheid wissen. Wenn er sich allerdings mehr für Kernphysik interessiert, dann soll er eben Kernphysik studieren.

Und wenn es ein Mädchen wird?

Eigentlich könnte ich jetzt in der Klinik anrufen.

Gelassen, mit ruhiger Hand, hob ich den Hörer ab und wählte.

»Nichts Neues«, sagte der Portier. »Wer spricht?«

Ein sonderbar heiserer Unterton in seiner Stimme ließ mich aufhorchen. Ich hatte den Eindruck, als ob er mir etwas verheimlichen wollte.

Aber die Verbindung war bereits unterbrochen.

Ein wenig nervös durchblätterte ich die Zeitung.

»Geburt einer doppelköpfigen Ziege in Peru.«

Was diese Idioten erfinden, um ihr erbärmliches Blättchen zu füllen! Man müßte alle Journalisten vertilgen.

Im Augenblick habe ich freilich Dringenderes zu tun. Zum Beispiel darf ich meinen Kontakt mit dem Arzt nicht gänzlich einschlafen lassen.

Ich sprang in ein Taxi, fuhr zur Klinik und hatte das Glück, unauffälligen Anschluß an eine größere Gesellschaft zu finden, die sich gerade zu einer Beschneidungsfeier versammelte.

»Schon wieder Sie?« bellte der Doktor, als ich ihn endlich gefunden hatte. »Was machen Sie hier?«

»Ich bin zufällig vorbeigekommen und dachte, daß ich mich vielleicht erkundigen könnte, ob es etwas Neues gibt. Gibt es etwas Neues?«

»Ich sagte Ihnen doch, daß Sie erst um fünf Uhr kommen sollen! Oder noch besser: Kommen Sie gar nicht. Wir verständigen Sie telefonisch.«

»Ganz wie Sie wünschen, Herr Doktor. Ich dachte nur . . .«

Er hatte recht. Dieses ewige Hin und Her war vollkommen sinnlos und eines normalen Menschen unwürdig. Ich wollte mich nicht auf die gleiche Stufe stellen mit diesen kläglichen Gestalten, die sich immer noch bleich und zitternd auf der Bank vor der Portiersloge herumdrückten.

Aus purer Neugier nahm ich unter ihnen Platz, um ihr Verhalten vom Blickpunkt des Psychologen aus zu analysieren. Mein Sitznachbar erzählte mir unaufgefordert, daß er der Geburt seines dritten Kindes entgegensähe. Zwei hatte er schon, einen Knaben (3,15 kg) und ein Mädchen (2,7 kg). Andere Bankbenützer ließen Fotografien herumgehen. Aus Verlegenheit, und wohl auch um den völlig haltlosen Schwächlingen einen kleinen Streich zu spielen, zog ich ein Röntgenbild meiner Frau aus dem achten Monat hervor.

»Süß«, ließen sich einige Stimmen vernehmen. »Wirklich herzig.«

Während ich ein neues Päckchen Zigaretten kaufte, beschlich mich das dumpfe Gefühl, etwas Wichtiges vergessen zu haben. Ich fragte den Portier, ob es etwas Neues gäbe. Der ungezogene Lümmel machte sich nicht einmal die Mühe einer artikulierten Auskunft. Er schüttelte nur den Kopf. Eigentlich schüttelte er ihn nicht einmal, sondern drehte ihn gelangweilt in eine andere Richtung.

Nach zwei Stunden begab ich mich in das Blumengeschäft auf der gegenüberliegenden Straßenseite, rief von dort aus den Arzt an und erfuhr von einer weiblichen Stimme, daß ich erst am Morgen wieder anrufen sollte. Es war, wie sich auf Befragen erwies, die Telefonistin. So springt man hierzulande mit angesehenen Bürgern um, die das Verbrechen begangen haben, sich um die nächste Generation zu sorgen.

Dann also ins Kino. Der Film handelte von einem jungen Mann, der seinen Vater haßt. Was geht mich dieser Bockmist aus Hollywood an. Außerdem wird es ein Mädchen. Im Unterbewußtsein hatte ich mich längst darauf eingestellt. Ich könnte sogar sagen, daß ich es schon längst gewußt habe. Ich hätte nichts dagegen einzuwenden, daß sie Archäologin wird, wenn sie nur keinen Piloten heiratet. Nichts da. Unter gar keinen Umständen akzeptiere ich einen Piloten als Schwiegersohn. Um Himmels willen – über kurz oder lang bin ich Großpapa. Wie die Zeit vergeht. Aber warum ist es hier so dunkel? Wo bin ich? Ach ja, im Kino. Zu dumm.

Ich tastete mich hinaus. Die kühle Luft erfrischte mich ein wenig. Nicht sehr, nur ein wenig. Und was jetzt?

Vielleicht sollte ich in der Klinik nachfragen.

Ich erstand zwei große Sträuße billiger Blumen, weil man als Botenjunge eines Blumengeschäftes in jede Klinik Zutritt hat, warf dem Portier ein tonlos geschäftiges »Zimmer 24« hin und bewerkstelligte unter dem Schutz der Dunkelheit meinen Eintritt.

Um den Mund des Arztes wurden leichte Anzeichen von Schaumbildung merkbar.

»Was wollen Sie mit den Blumen, Herr? Stellen Sie sie aufs Eis, Herr! Und wenn Sie nicht verschwinden, lasse ich Sie hinauswerfen!«

Ich versuchte ihm zu erklären, daß es sich bei den Blumen lediglich um eine List gehandelt hätte, die mir den Eintritt in die Klinik ermöglichen sollte.

Natürlich, so fügte ich hinzu, wüßte ich ganz genau, daß noch nichts los sei, aber ich dachte, daß vielleicht doch etwas los sein könnte.

Der Doktor sagte etwas offenbar Unfreundliches auf russisch und ließ mich stehen.

Auf der Straße draußen fiel mir plötzlich ein, was ich vorhin vergessen hatte: Ich hatte seit vierundzwanzig Stunden keine Nahrung zu mir genommen. Rasch nach Hause zu einem kleinen Imbiß. Aber aus irgendwelchen Gründen blieb mir das Essen in der Kehle stecken, und ich mußte mit einigen Gläsern Brandy nachhelfen. Dann schlüpfte ich in meinen Pyjama und legte mich ins Bett.

Wenn ich nur wüßte, warum sich die Geburt dieses Kindes so lange verzögert.

Wenn ich es wüßte? Ich weiß es. Es werden Zwillinge. Das ist so gut wie sicher. Zwillinge. Auch recht. Da bekommt man alles, was sie brauchen, zu Engrospreisen. Ich werde ihnen eine praktische Erziehung angedeihen lassen. Sie sollen in die Textilbranche gehen und niemals Mangel leiden. Nur dieses entsetzliche Summen in meinem Hinterkopf müßte endlich aufhören. Und das Zimmer dürfte sich nicht länger drehen. Ein finsteres Zimmer, das sich trotzdem dreht, ist etwas sehr Unangenehmes.

Der Portier gibt vor, noch nichts zu wissen. Möge er eines qualvollen Todes sterben, der Schwerverbrecher. Sofort nach der Geburt meiner Tochter rechne ich mit ihm ab. Er wird sich wundern.

Rätselhafterweise sind mir schon wieder die Zigaretten ausgegangen. Wo bekommt man so spät in der Nacht noch Zigaretten? Wahrscheinlich nur in der Klinik. Ich sauste zur Autobus-Haltestelle, wurde aber von einem Hausbewohner eingeholt, der mich aufmerksam machte, daß ich keine Hosen anhatte.

»Wie überaus dumm und kindisch von mir!« lachte ich, sauste zurück, um mir die Hosen anzuziehen, und konnte trotzdem nicht aufhören, immer weiter zu lachen. Erst in der Nähe der Klinik erinnerte ich mich an Gott. Im allgemeinen bete ich nicht, aber jetzt kam es mir wie selbstverständlich von den Lippen:

»Herr im Himmel, bitte hilf mir nur dieses eine Mal, laß das Mädchen einen Buben sein und wenn möglich einen normalen, nicht um meinetwillen, sondern aus nationalen Gründen, wir brauchen junge, gesunde Pioniere . . .«

Nächtliche Passanten gaben mir zu bedenken, daß ich mir eine Erkältung zuziehen würde, wenn ich so lange auf dem nassen Straßenpflaster kniete.

Der Portier machte bei meinem Anblick schon von weitem die arrogante Gebärde des halben Kopfschüttelns.

Mit gewaltigem Anlauf warf ich mich gegen das Gittertor, das krachend aufsprang, rollte auf die Milchglastüre zu, kam hoch, hörte das Monstrum hinter mir brüllen . . . brüll du nur, du

Schandfleck des Jahrhunderts . . . wer mich jetzt aufzuhalten versucht, ist selbst an seinem Untergang schuld . . .

»Doktor! Doktor!« Meine Stimme hallte schaurig durch die nachtdunklen Korridore. Und da kam auch schon der Arzt herangerast.

»Wenn ich Sie noch einmal hier sehe, lasse ich Sie von der Feuerwehr retten! Sie sollten sich schämen! Nehmen Sie ein Beruhigungsmittel, wenn Sie hysterisch sind!«

Hysterisch? Ich hysterisch? Der Kerl soll seinem guten Stern danken, daß ich mein Taschenmesser kurz nach der Bar-Mizwah verloren habe, sonst würde ich ihm jetzt die Kehle aufschlitzen. Und so etwas nennt sich Arzt. Ein Wegelagerer in weißem Kittel. Ein getarnter Mörder, nichts anderes. Ich werde an die Regierung einen Brief schreiben, den sie sich hinter den Spiegel stecken wird. Und von dieser Bank bei der Portiersloge weiche ich keinen Zoll, ehe man mir nicht mein Kind ausliefert. Hat jemand von den Herren vielleicht eine Zigarette? Beim Portier kann ich keine mehr kaufen, er verfällt in nervöse Zuckungen, wenn er mich nur sieht. Na wennschon. Natürlich bin ich aufgeregt. Wer wäre das in meiner Lage nicht. Schließlich ist heute der Geburtstag meines Sohnes. Auch wenn die Halle sich noch so rasend dreht und das Summen in meinem Hinterkopf nicht und nicht aufhören will . . .

Es geht auf Mitternacht, und noch immer nichts. Wie glücklich ist doch meine Frau, daß ihr diese Aufregung erspart bleibt. Guter Gott – und jetzt haben sie womöglich entdeckt, daß sie gar nicht schwanger ist, sondern nur einen aufgeblähten Magen hat vom vielen Popcorn. Diese Schwindler. Nein, Rafael wird nicht die Diplomatenlaufbahn ergreifen. Das Mädel soll Kindergärtnerin werden. Oder ich schicke die beiden in einen Kibbuz. Mein Sohn wird für meine Sünden büßen, ich sehe es kommen. Ich würde ja selbst in einen Kibbuz gehen, um das zu verhindern, aber ich habe keine Zigaretten mehr. Bitte um eine Zigarette, meine Herren, eine letzte Zigarette.

Es ist vorüber. Etwas Fürchterliches ist geschehen. Ich spüre es. Mein Instinkt hat mich noch nie betrogen. Das Ende ist da . . .

Auf allen vieren schleppte ich mich zur Portiersloge. Ich brachte kein Wort hervor. Ich sah meinen Feind aus flehentlich aufgerissenen Augen an.

»Ja«, sagte er. »Ein Junge.«

»Was?« sagte ich. »Wo?«

»Ein Junge«, sagte er. »Dreieinhalb Kilo.«

»Wieso«, sagte ich. »Wozu.«

»Hören Sie«, sagte er. »Heißen Sie Ephraim Kishon?«

»Einen Augenblick«, sagte ich. »Ich weiß es nicht genau.«

Ich zog meinen Personalausweis heraus und sah nach. Tatsächlich: Es sprach alles dafür, daß ich Ephraim Kishon hieß.

»Bitte?« sagte ich. »Was kann ich für Sie tun, gnädige Frau?«

»Sie haben einen Sohn!« röhrte der Portier. »Dreieinhalb Kilo! Einen Sohn! Verstehen Sie? Einen Sohn von dreieinhalb Kilo . . .«

Ich schlang meine Arme um ihn und versuchte sein überirdisch schönes Antlitz zu küssen. Der Kampf dauerte eine Weile und endete unentschieden. Dann entrang sich meiner Kehle ein fistelndes Stöhnen. Ich stürzte hinaus.

Natürlich kein Mensch auf der Straße. Gerade jetzt, wo man jemanden brauchen würde, ist niemand da.

Wer hätte gedacht, daß ein Mann meines Alters noch Purzelbäume schlagen kann.

Ein Polizist erschien und warnte mich vor einer Fortsetzung der nächtlichen Ruhestörung. Rasch umarmte ich ihn und küßte ihn auf beide Backen.

»Dreieinhalb Kilo«, brüllte ich ihm ins Ohr. »Dreieinhalb Kilo!«

»Maseltow!« rief der Polizist. »Gratuliere!«

Und er zeigte mir ein Foto seiner kleinen Tochter.

LATIFA UND DIE SCHWARZE MAGIE

Sollte der Leser glauben, daß wir es mit keinen weiteren Haushaltsproblemen zu tun bekommen hätten, so wäre er im Irrtum. Besonders seit der Ankunft unseres prächtigen kleinen Rafi nehmen die Probleme kein Ende. Eine schier unübersehbare Reihe von Sarahs, Mirjams und Leas ist seither an uns vorübergezogen, denn Rafi erwies sich als ein ungemein begabter Hausmädchen-Entferner. Kaum tritt eine neue weibliche Hilfskraft über die Schwelle unseres Hauses, beginnt Rafi, von irgendwelchen atavistischen Instinkten befeuert, seinen schrillen, langanhaltenden Kriegsgesang, der das aufzunehmende Mädchen unfehlbar zu folgender Bemerkung veranlaßt:

»Ich wußte nicht, daß Sie so weit vom Stadtzentrum wohnen. Leider –«

Und eine Sekunde später ist sie spurlos verschwunden.

Aber die Vorsehung ließ uns nicht im Stich. Ein sonniger, gnadenreicher Tag bescherte uns Latifa, die eine Empfehlung von ihrer Schwester Etroga mitbrachte. Etroga hatte vor drei oder vier Jahren in unserem Haushalt gearbeitet. Jetzt schickte sie uns zur Rache ihre Schwester. Aus irgendwelchen Gründen ließ Rafi die gewohnte proletarische Wachsamkeit vermissen: Während wir mit Latifa verhandelten – und das dauerte länger als eine halbe Stunde –, kam kein Laut über seine Lippen. Zu unserer grenzenlosen Freude nahm Latifa den Posten an.

Latifa war ein breitgesichtiges, kuhartiges Geschöpf. Ihr arabischer Dialekt bildete ein reizvolles Gegenstück zum fließenden Österreichisch meiner Schwiegermutter. Bald aber mußten wir entdecken, daß mit Latifa auch die schwarze Magie in unser Heim eingezogen war. Zunächst jedoch erfreute sich Latifa allgemeiner Beliebtheit, obwohl sie eine eher langsame Wesensart an den Tag legte und mit jeder ihrer schläfrigen Bewegungen deutlich bekundete, daß sie viel lieber in der Sonne oder im Kino gesessen wäre, statt sich mit Windeln und ähnlichem Zeug abzugeben.

Der erste schwerere Zusammenstoß mit Latifa entstand wegen des venezianischen Spiegels. Wir waren gerade dabei, einige innenarchitektonischen Veränderungen in unserer Wohnung vorzunehmen. Während wir die Möbel prüfend hin und her schoben, ließ meine Gattin an Latifa den Auftrag ergehen, den erwähnten Spiegel in die Zimmerecke zu hängen. (Mein Schwiegervater hatte das unförmige Ding in Wien gekauft, aufgrund der schwindelhaften Versicherung des Händlers, daß man in Israel für diesen Wertgegenstand eine ganze Schafherde im Tausch bekäme.)

»Den Spiegel in die Ecke?« stöhnte Latifa. »Hat man je gehört, daß jemand freiwillig einen Spiegel in die Zimmerecke hängt? Jedes Kind kann Ihnen sagen, daß ein Spiegel in der Ecke entsetzliches Unglück über das ganze Haus bringt!« Und mit ungewohnter Lebhaftigkeit erzählte sie uns von einer ihrer Nachbarinnen, die allen Warnungen zum Trotz einen Spiegel in die Zimmerecke gehängt hatte. Was geschah? Eine Woche später gewann ihr Mann zehntausend Pfund in der Lotterie, erlitt vor Freude einen Schlaganfall und starb.

Wir waren tief betroffen. Und da wir uns keinem solchen Unheil aussetzen wollten, verkauften wir den Spiegel kurzerhand für zwanzig Piaster an einen Altwarenhändler, dem wir, um ihm die Transaktion schmackhaft zu machen, noch drei Paar Skier samt den dazugehörigen Stiefeln draufgaben.

Drei Tage später kam es abermals zu einer Krise, als wir Latifa aufforderten, den Plafond zu säubern.

»Entschuldigen Sie«, sagte Latifa. »Aber Sie glauben doch nicht im Ernst, daß ich auf eine Leiter hinaufsteigen werde, solange der Kleine im Haus ist? Er braucht nur ein einziges Mal unter der Leiter durchzukriechen und bleibt sein Leben lang ein Zwerg. Dann können Sie ihn an einen Zirkus verkaufen.«

»Na, na«, sagte meine Frau besänftigend, und ich schloß mich ihr an. »Na, na«, sagte ich besänftigend.

»Na, na? Was wollen Sie damit sagen? Der Tischler in unserem Haus hat einen Sohn, der ist jetzt fünfzehn Jahre alt und nur einen halben Meter groß, weil er als Kind immer unter den Leitern durchgekrochen ist. Wenn Sie aus Ihrem Sohn mit aller Gewalt einen Zwerg machen wollen, kann ich Sie nicht hindern. Aber ich möchte meine Hand nicht dazu hergeben.«

Als nächstes kam die Sache mit den Fensterscheiben. Latifa erklärte, nur ein Irrsinniger könne daran denken, die Fensterscheiben am Freitag putzen zu lassen – wo doch jeder Mensch weiß, daß dann sofort ein Brand ausbricht. Vergeblich bemühten wir uns, Latifa zu einer einmaligen Zuwiderhandlung gegen ihre wohlfundierten Lebensregeln zu bewegen. Sie blieb hart. Wenn wir ihr im

weiten Umkreis – so verkündete sie – auch nur eine einzige nor-
maldenkende Frauensperson zeigen könnten, die bereit wäre, am
Freitag die Fenster zu putzen, dann würde sie für die nächsten drei
Monate auf ihr Gehalt verzichten.
Wir gaben auf, gingen zum Fenster und blickten verzweifelt hinaus. Was sahen wir? In der Wohnung unseres Drogisten gegen-
über war das Hausmädchen gerade damit beschäftigt, die Fenster
zu putzen.
»So ein Gauner!« rief Latifa empört. »Erst gestern hat er eine Feu-
erversicherung abgeschlossen!«
Donnerstag nachmittag ersuchten wir Latifa, die Vorhänge abzunehmen. Sie taumelte, als hätte sie der Blitz getroffen, und brachte
nur noch ein Flüstern zustande:
»Was?« flüsterte sie. »Was? Die Vorhänge abnehmen? Im Monat
Kislew? Sind Sie verrückt? Damit der kleine Rafi krank wird?«
Diesmal waren wir entschlossen, nicht nachzugeben. Wir informierten Latifa unumwunden, daß wir ihr nicht glaubten, und außerdem gebe es um die Ecke einen Doktor. Latifa wiederholte, daß
sie eine so verbrecherische Handlung wie das Abnehmen von Vorhängen im Monat Kislew nicht mit ihrem Gewissen vereinbaren
könne. Daraufhin machten wir uns erbötig, die volle Verantwor-
tung für alle etwa eintretenden Folgen zu übernehmen.
»Schön«, sagte Latifa. »Kann ich das schriftlich haben?«
Ich setzte mich an den Schreibtisch und fertigte eine eidesstattliche
Erklärung aus, daß uns Frau Latifa Kudurudi für den Fall einer
Vorhangabnahme vor einer Erkrankung unseres Söhnchens gewarnt hätte, aber von uns gezwungen worden wäre, die Vorhänge
dessenungeachtet und auf unsere Verantwortung abzunehmen.
Latifa nahm die Vorhänge ab.
Am Abend klagte der kleine Rafi über Kopfschmerzen. In der
Nacht bekam er Fieber. Am Morgen zeigte das Thermometer vier-
zig Grad. Latifa sah uns vorwurfsvoll an und zuckte die Schultern.
Meine Frau lief um den Doktor, der bei Rafi eine Grippe fest-
stellte.
»Aber wie ist das nur möglich?« schluchzte meine Frau. »Wir pas-
sen doch so gut auf ihn auf. Warum bekommt er plötzlich eine
Grippe?«
»Warum?« kam Latifas Stimme aus dem Hintergrund des Zim-
mers. »Ich werde Ihnen sagen, warum! Weil ich die Vorhänge abnehmen mußte.«

»Was?« Der Doktor wandte sich um. »Was sagen Sie?«

»Jawohl«, sagte Latifa. »Die Vorhänge. Hat schon jemals ein vernünftiger Mensch im Kislew die Vorhänge abgenommen, wenn ein kleines Kind im Haus ist?«

»Das Mädchen hat vollkommen recht«, sagte der Doktor. »Wie können Sie bei diesem unfreundlichen, naßkalten Wetter die Vorhänge abnehmen? Kein Wunder, daß der Kleine sich erkältet hat. Ich muß schon sagen, daß mich Ihr Vorgehen sehr überrascht . . .«

Latifa trat wortlos an den Arzt heran, zeigte ihm das von mir ausgestellte Zeugnis und begab sich ebenso wortlos in die Küche.

Seither richten wir uns widerspruchslos nach Latifas Entscheidungen. Soviel wir bisher feststellen konnten, darf am Sonntag keine Wäsche gewaschen werden, weil sonst eine Überschwemmung entsteht, und das Polieren von Türklinken vor Frühlingsbeginn hat unfehlbar eine Schlangenplage zur Folge.

Im übrigen erklärte Latifa, daß die Wohnung siebenundzwanzig Tage lang nicht aufgeräumt werden dürfte, wenn Rafi gesund werden soll. Am nächsten Morgen betrat sie das Zimmer, setzte sich in den Lehnstuhl und verlangte nach den Zeitungen.

Die Mißwirtschaft in unserer Wohnung nimmt katastrophale Ausmaße an. Aber ich muß zugeben, daß Rafi nicht mehr hustet.

SELIGS ATMOSPHÄRISCHE STÖRUNGEN

Wir haben Schwierigkeiten mit unseren Nachbarn, den Seligs. Was die mit ihrem Radio aufführen, ist einfach unerträglich. Jeden Abend um 6 Uhr kommt Felix Selig todmüde nach Hause, hat aber noch Kraft genug, um zum Radio zu wanken und es auf volle Stärke einzustellen. Ob Nachrichten, Musik oder literarische Vorträge herauskommen, ist ihm gleichgültig. Wenn es nur Lärm macht. Und dieser Lärm dringt bis in die entlegensten Winkel unserer Wohnung.

Die Frage, wie wir uns dagegen wehren könnten, beschäftigt uns schon seit geraumer Zeit. Meine Frau, die den Seligs unter ungeheurer Selbstüberwindung einen Besuch abgestattet hat, behauptet, daß wir das Opfer eines akustischen Phänomens seien: das Radio dröhnt bei uns noch lauter als bei den Seligs selbst. Jedenfalls ist die Trennungswand zwischen den beiden Wohnungen so dünn, daß wir beim Entkleiden das Licht löschen, um keine lebenden Bilder an die Wand zu werfen. Daß durch diese Wand selbst das leiseste Flüstern hörbar wird, versteht sich von selbst. Nur ein Wunder konnte uns retten.

Und das Wunder geschah.

Eines Abends, als Seligs Höllenmaschine wieder ihren ohrenbetäubenden Lärm entfaltete, mußte ich mich wegen eines unvorhergesehenen Theaterbesuchs rasieren. Kaum hatte ich meinen elektrischen Rasierapparat eingeschaltet, als es in Seligs Radio laut zu knacksen begann. Ich zog den Steckkontakt heraus – und das Knacksen hörte auf. Ich schaltete ihn wieder ein – es knackste und krachte. Dann hörte ich Felix Seligs Stimme:

»Erna! Was ist mit unserem Radio los? Dieses Knacksen macht mich verrückt!«

Ungeahnte Perspektiven eröffneten sich.

Der nächste Abend fand mich wohl vorbereitet. Als Felix Selig um 6 Uhr nach Hause kam, wartete ich bereits mit gezücktem Rasierapparat. Felix torkelte zum Radio und drehte es an. Eine Minute ließ ich verstreichen – dann suchte mein elektrischer Rasierapparat Kontakt und fand ihn. Augenblicklich verwandelte sich in der nachbarlichen Wohnung eine wunderschöne Pianopassage der Haffner-Symphonie in ein Fortissimo-Krkrkrk. Felix nahm es zunächst noch hin, offenbar in der Hoffnung, daß die atmosphärische Störung bald vorüber sein würde. Endlich hatte er genug. »Hör auf, um Himmels willen!« brüllte er völlig entnervt in den Kasten, und seine Stimme klang so beschwörend, daß ich unwillkürlich den Rasierapparat aus der Wand zog.

Jetzt stellte Felix das Radio ab, rief mit heiserer Stimme nach seiner Frau und sagte, für unsere angespannten Ohren deutlich hörbar:

»Erna, es ist etwas sehr Merkwürdiges geschehen. Der Apparat hat geknackst – ich habe ›Hör auf!‹ gebrüllt – und er hat aufgehört.«

»Felix«, antwortete Erna, »du bist überarbeitet. Das merke ich schon seit einiger Zeit. Heute wirst du früher schlafen gehen.«

»Du glaubst mir nicht?« brauste Felix auf. »Du mißtraust den Worten deines Mannes? Höre selbst!« Und er drehte das Radio an.

Wir konnten sie beinahe sehen, wie sie vor dem Kasten standen und auf das ominöse Knacksen warteten. Um die Spannung zu steigern, ließ ich eine Weile verstreichen.

»Ganz wie ich sagte«, sagte Frau Selig. »Du redest dummes Zeug. Wo bleibt das Knacksen?«

»Wenn ich's dir vorführen will, kommt's natürlich nicht«, fauchte der enttäuschte Felix. Dann wandte er sich mit hämischer Herausforderung direkt an das Radio: »Also du willst nicht knacksen, was?«

Ich schaltete den Rasierapparat ein. Krkrkrk.

»Tatsächlich«, flüsterte Erna. »Jetzt knackst er. Es ist wirklich unheimlich. Ich habe Angst. Sag ihm, daß er aufhören soll.«

»Hör auf«, sagte Felix mit gepreßter Stimme. »Bitte hör auf . . .«

Ich zog den Stecker heraus.

Am nächsten Tag traf ich Felix im Stiegenhaus. Er sah angegriffen aus, ging ein wenig schlotternd, und unter seinen verquollenen Augen standen große dunkle Ringe. Wir plauderten zuerst über das schöne Wetter – dann packte mich Felix plötzlich am Arm und fragte:

»Glauben Sie an übernatürliche Phänomene?«

»Selbstverständlich nicht. Warum?«

»Ich frage nur.«

»Mein Großvater, der ein sehr gescheiter Mann war«, sagte ich sinnend, »glaubte an derartige Dinge.«

»An Geister?«

»Nicht gerade an Geister. Aber er war überzeugt, daß tote Gegenstände – es klingt ein wenig lächerlich, entschuldigen Sie –, also daß Dinge wie ein Tisch, eine Schreibmaschine, ein Grammophon, sozusagen ihre eigene Seele haben. Was ist los mit Ihnen, mein Lieber?«

»Nichts . . . danke . . .«

»Mein Großvater schwor, daß sein Grammophon ihn haßte. Was sagen Sie zu diesem Unsinn?«

»Es haßte ihn?«

»So behauptete er. Und eines Nachts – aber das hat natürlich nichts damit zu tun – fanden wir ihn leblos neben dem Grammophon liegen. Die Platte lief noch.«

»Entschuldigen Sie«, sagte mein Nachbar. »Mir ist ein wenig übel.«

Ich stützte ihn die Treppe hinauf, sauste in meine Wohnung und stellte den Rasierapparat bereit. Nebenan hörte ich Felix Selig mehrere Gläser Brandy hinabgurgeln, ehe er mit zitternder Hand sein Radio andrehte.

»Du haßt mich!« rief der vielgeprüfte Mann. (Seine Stimme kam, wie wir zu hören glaubten, von unten; wahrscheinlich kniete er.) »Ich weiß, daß du mich haßt. Ich weiß es.«

Krkrkrk. Ich ließ den Kontakt etwa zwei Minuten eingeschaltet, ehe ich ihn abstellte.

»Was haben wir dir getan?« erklang Frau Seligs flehende Stimme. »Haben wir dich schlecht behandelt?«

»Krkrkrk.«

Jetzt war es soweit. Unser Schlachtplan trat in die entscheidende Phase. Meine Frau ging hinüber zu Seligs.

Schmunzelnd hörte ich mit an, wie die Seligs meiner Frau erzählten, daß sich in ihrem Radio übernatürliche Kräfte manifestierten.

Nach einigem Nachdenken rückte meine Frau mit dem Vorschlag heraus, das Radio zu exorzieren.

»Geht das?« riefen die zwei Seligs wie aus einem Munde. »Können Sie das? Dann tun Sie's bitte!«

Das Radio wurde wieder angedreht. Der große Augenblick war gekommen.

»Geist im Radio«, rief die beste Ehefrau von allen. »Wenn du mich hörst, dann gib uns ein Zeichen!«

Rasierapparat einstellen – krkrkrkr.

»Ich danke dir.«

Rasierapparat abstellen.

»Geist«, rief meine Frau, »gib uns ein Zeichen, ob dieses Radio in Betrieb bleiben soll?«

Rasierapparat bleibt abgestellt.

»Willst du vielleicht, daß es lauter spielen soll?«

Rasierapparat bleibt abgestellt.

»Dann willst du vielleicht, daß die Seligs ihr Radio überhaupt nicht mehr benützen sollen?«

Rasierapparat einstellen.

Rasierapparat einstellen! Einstellen!

Um Himmels willen, warum hört man nichts . . . kein Knacksen, kein Krkrkrk, nichts . . .

Der Rasierapparat streikte. Die Batterie war ausgebrannt oder sonstwas. Jahrelang hatte er tadellos funktioniert, und gerade jetzt . . .

»Geist, hörst du mich nicht?« Meine Frau hob die Stimme. »Ich frage: Willst du, daß die Seligs aufhören, diesen entsetzlichen Kasten zu verwenden? Gib uns ein Zeichen! Antworte!!«

Verzweifelt stieß ich den Apparat in den Kontakt, wieder und wieder – es half nichts. Nicht das leiseste Krkrkrk erklang. Vielleicht haben tote Gegenstände wirklich eine Seele.

»Warum knackst du nicht?« rief meine Frau, nun schon ein wenig schrill. »Gib uns ein Zeichen, du Idiot! Sag den Seligs, daß sie nie wieder ihr Radio spielen sollen! Ephraim!!«

Jetzt war sie um eine Kleinigkeit zu weit gegangen. Ich glaubte zu sehen, wie die Seligs sich mit einem vielsagenden Blick zu ihr umwandten . . .

Am nächsten Tag ließ ich den Rasierapparat reparieren. Expreßreparaturen kosten viel Geld.

»Die Batterie war ausgebrannt«, sagte mir der Elektriker. »Ich habe eine neue hineingetan. Jetzt wird es auch in Ihrem Radio keine Störungen mehr geben.«

Seither dröhnt das Radio unseres Nachbars ungestört in jedem Winkel unserer Wohnung. Ob tote Gegenstände eine Seele haben, weiß ich nicht. Aber sie haben bestimmt keinen Humor.

Babysitting und was man dafür tun muss

Frau Regine Popper muß nicht erst vorgestellt werden. Sie gilt allgemein als bester Babysitter der Nation und hat wiederholt mit
weitem Vorsprung die Staatsligameisterschaft gewonnen. Sie ist
pünktlich, tüchtig, zuverlässig, loyal und leise – kurzum, eine
Zauberkünstlerin im Reich der Windeln. Noch nie hat unser Baby
Rafi sich über sie beklagt. Frau Popper ist eine Perle.
Ihr einziger Nachteil besteht darin, daß sie in Tel Giborim wohnt,
von wo es keine direkte Verbindung zu unserem Haus gibt. Infolgedessen muß sie sich der Institution des Pendelverkehrs bedie-
nen, wie er hierzulande von den Autotaxis betrieben wird, und der
jeweils vier bis fünf Personen befördert. Diese Institution heißt
hebräisch »Scherut«.
Mit diesem Scherut gelangt Frau Popper bis zur Autobuszentrale,
und dort muß sie auf einen andern Scherut warten, und manchmal
gibt es keinen Scherut, und dann muß sie ihre nicht unbeträchtli-
che Leibesfülle in einen zum Platzen vollgestopften Bus zwängen,
und bei solchen Gelegenheiten kommt sie in völlig desolatem und
zerrüttetem Zustand bei uns an, und ihre Blicke sind ein einziger
stummer Vorwurf und sagen:
»Schon wieder kein Scherut.«
Allabendlich gegen acht beginnen wir um einen Scherut für Frau
Popper zu beten. Manchmal hilft es, manchmal nicht. Das macht
uns immer wieder große Sorgen für die Zukunft, denn Frau Popper ist unersetzlich. Schade nur, daß sie in Tel Giborim wohnt.
Ohne Telefon.
Was soll diese lange Einleitung? Sie soll zu jenem Abend überlei-
ten, an dem wir das Haus um halb neuen verlassen wollten, um
ins Kino zu gehen. Bis dahin hatte ich noch ein paar wichtige Briefe
zu schreiben. Leider floß mein Stil – möglicherweise infolge der
lähmenden Hitze – an jenem Abend nicht so glatt wie sonst, und
ich war, als Punkt halb neun die perfekte Perle Popper erschien,
noch nicht ganz fertig. Ihre Blicke offenbaren sofort, daß es wieder einmal keinen Scherut gegeben hatte.
»Ich bin gelaufen«, keuchte sie. »Was heißt gelaufen? Gerannt bin
ich. Zu Fuß. Wie eine Verrückte.«
In solchen Fällen gibt es nur eines: Man muß sofort aus dem Haus,

um Frau Poppers Marathonlauf zu rechtfertigen. Andernfalls hätte sie sich ja ganz umsonst angestrengt.

Aber ich wollte unbedingt noch mit meinen wichtigen Briefen fertig werden, bevor wir ins Kino gingen.

Schon nach wenigen Minuten öffnete sich die Tür meines Arbeitszimmers:

»Sie sind noch hier?«

»Nicht mehr lange . . .«

»Unglaublich. Ich renne mir die Seele aus dem Leib – und Sie sitzen gemütlich hier und haben Zeit!«

»Er wird gleich fertig sein.« Die beste Ehefrau von allen stellte sich schützend vor mich.

»Warum lassen Sie mich überhaupt kommen, wenn Sie sowieso zu Hause bleiben?«

»Wir bleiben nicht zu Hause. Aber wir würden Sie selbstverständlich auch bezahlen, wenn –«

»Das ist eine vollkommen überflüssige Bemerkung!« Frau Regine Popper richtete sich zu majestätischer Größe auf. »Für nicht geleistete Arbeit nehme ich kein Geld. Nächstens überlegen Sie sich bitte, ob Sie mich brauchen oder nicht.«

Um weiteren Auseinandersetzungen vorzubeugen, ergriff ich die Schreibmaschine und verließ eilends das Haus, ebenso eilends gefolgt von meiner Frau. In der kleinen Konditorei gegenüber schrieb ich die Briefe fertig. Das Klappern der Schreibmaschine erregte anfangs einiges Aufsehen, aber dann gewöhnten sich die Leute daran. Ins Kino kamen wir an diesem Abend nicht mehr. Meine Frau – nicht nur die beste Ehefrau von allen, sondern auch von bemerkenswertem realpolitischem Flair – schlug vor, das noch verbleibende Zeitminimum von drei Stunden mit einem Spaziergang auszufüllen. Bei Nacht ist Tel Aviv eine sehr schöne Stadt. Besonders der Strand, die nördlichen Villenviertel, das alte Jaffa und die Ebene von Abu Kabir bieten lohnende Panoramen.

Kurz vor Mitternacht waren wir wieder zu Hause, müde, zerschlagen, mit Wasserblasen an den Füßen.

»Wann«, fragte Frau Regine Popper, während wir ihr den fälligen Betrag von 5,75 Pfund aushändigten, »wann brauchen Sie mich wieder?«

Eine rasche, klare Entscheidung, wie sie dem Manne ansteht, war dringend geboten. Andererseits durfte nichts Unbedachtes vereinbart werden, denn da Frau Popper kein Telefon besitzt, läßt sich eine einmal getroffene Vereinbarung nicht mehr rückgängig machen.

»Übermorgen?« fragte Frau Popper. »Um acht?«

»Übermorgen ist Mittwoch«, murmelte ich. »Ja, das paßt uns sehr gut. Vielleicht gehen wir ins Kino . . .«

Der Mensch denkt, und Gott ist dagegen. Mittwoch um sieben Uhr abend begann mein Rücken zu schmerzen. Ein plötzlicher Schweißausbruch warf mich aufs Lager. Kein Zweifel: Ich fieberte. Die beste Ehefrau von allen beugte sich besorgt über mich:

»Steh auf«, sagte sie und schnippte ungeduldig mit den Fingern. »Die Popper kann jeden Moment hier sein.«

»Ich kann nicht. Ich bin krank.«

»Sei nicht so wehleidig, ich bitte dich. Oder willst du riskieren, daß sie uns noch zu Hause trifft und fragt, warum wir sie für nichts und wieder nichts den weiten Weg aus Tel Giborim machen lassen? Komm. Steh auf.«

»Mir ist schlecht.«

»Mir auch. Nimm ein Aspirin und komm!«

Die Schweizer Präzisionsmaschine, die sich unter dem Namen Popper in Israel niedergelassen hat, erschien pünktlich um acht, schwer atmend. »Schalom«, zischte sie. »Schon wieder kein . . .«

In panischer Hast kleidete ich mich an. Wäre sie mit einem Scherut gekommen, dann hätte man sie vielleicht umstimmen können. So aber, nach einer langen Fahrt im qualvoll heißen Autobus und einem vermutlich noch längeren Fußmarsch, erstickte ihre bloße Erscheinung jeden Widerstand im Keim. Wir verließen das Haus, so schnell mich meine vom Fieber geschwächten Beine trugen. Draußen mußte ich mich sofort an eine Mauer lehnen. Kaum hatte ich den Schwindelanfall überwunden, packte mich ein Schüttelfrost. An den geplanten Kinobesuch war nicht zu denken. Mit Mühe schleppte ich mich am Arm meiner Frau zu unserem Wagen und kroch hinein, um mich ein wenig auszustrecken. Ich bin von eher hohem Wuchs, und unser Wagen ist eher klein.

»O Herr!« stöhnte ich. »Warum, o Herr, muß ich mich hier zusammenkrümmen, statt zu Hause im Bett zu liegen?« Aber der Herr gab keine Antwort.

Mein Zustand verschlimmerte sich von Viertelstunde zu Viertelstunde. Ich glaubte, in dem engen, vom langen Parken in der Sonne noch glühendheißen Wagen ersticken zu müssen. Auch die einbrechende Dunkelheit brachte mir keine Linderung.

»Laß mich heimgehen, Weib«, flüsterte ich.

»Jetzt?« Unheilverkündend klang die Stimme der besten Ehefrau von allen durch das Dunkel. »Nach knappen eineinhalb Stunden? Glaubst du, Regine Popper kommt wegen eineinhalb Stunden eigens aus Tel Giborim?«

»Ich glaube gar nichts. Ich will nicht sterben für Regine Popper. Ich bin noch jung, und das Leben ist schön. Ich will leben. Ich gehe nach Hause.«

»Warte noch zwanzig Minuten. Oder wenigstens dreißig.«

»Nein. Nicht einmal eine halbe Stunde. Ich bin am Ende. Ich gehe.«

»Weißt du was?« Knapp vor dem Haustor fing sie mich ab. »Wir schlüpfen heimlich ins Haus, so daß sie uns nicht hört, setzen uns still ins Schlafzimmer und warten . . .«

Das klang halbwegs vernünftig. Ich stimmte zu. Behutsam öffneten wir die Haustür und schlichen uns ein. Aus meinem Arbeitszimmer drang ein Lichtstrahl. Dort also hatte Frau Popper sich eingenistet. Interessant. Wir setzten unseren Weg auf Zehenspitzen fort, wobei uns die Kenntnis des Terrains sehr zustatten kam. Aber kurz vor dem Ziel verriet uns ein Knarren der Holzdiele.

»Wer ist da?« röhrte es aus dem Arbeitszimmer.

»Wir sind's!« Rasch knipste meine Frau das Licht an und schob mich durch die Türe. »Ephraim hat das Geschenk vergessen.«

Welches Geschenk? Wie kam sie darauf? Was meinte sie damit? Aber da war, mit einem giftigen Seitenblick nach mir, die beste Ehefrau von allen schon an das nächste Bücherregal herangetreten und entnahm ihm die »Geschichte des englischen Theaters seit Shakespeare«, einen schweren Band im Lexikonformat, den sie mir sofort in die zittrigen Arme legte. Dann, nachdem wir uns bei Frau Popper für die Störung entschuldigt hatten, gingen wir wieder.

Draußen brach ich endgültig zusammen. Von meiner Stirne rann in unregelmäßigen Bächen der Schweiß, und vor meinen Augen sah ich zum erstenmal im Leben kleine rote Punkte flimmern. Bisher hatte ich das immer für ein billiges Klischee gehalten, aber es gibt sie wirklich, die kleinen roten Punkte. Und sie flimmern wirklich vor den Augen. Besonders wenn man unter einem Haustor sitzt und weint.

Die beste Ehefrau von allen legte mir ihre kühlenden Hände auf die Schläfen:

»Es gab keine andere Möglichkeit. Wie fühlst du dich?«

»Wenn Gott mich diese Nacht überleben läßt«, sagte ich, »dann übersiedeln wir nach Tel Giborim. Am besten gleich in das Haus, wo Frau Regine Popper wohnt.«

Eine halbe Stunde später war ich so weit zu Kräften gekommen, daß wir einen zweiten Versuch wagen konnten. Diesmal ging alles gut. Wir hatten ja schon Übung. Lautlos fiel die Haustüre ins Schloß, ohne Knarren passierten wir den Lichtschein, der aus dem Arbeitszimmer drang, und unentdeckt gelangten wir ins Schlafzimmer, wo wir uns angekleidet hinstreckten; es standen uns noch drei Stunden bevor.

Über die anschließende Lücke in meiner Erinnerung kann ich naturgemäß nichts aussagen.

»Ephraim!« Wie aus weiter Ferne klang mir die Stimme meiner Frau ans Ohr. »Es ist halb sechs! Ephraim! Halb sechs!« Jetzt erst merkte ich, daß sie unablässig an meinen Schultern rüttelte.

Ich blinzelte ins Licht des jungen Tages. Schon lange, schon sehr lange hatte kein Schlaf mich so erquickt. Rein strategisch betrachtet, waren wir allerdings übel dran. Wie sollten wir Frau Popper aus ihrer befestigten Stellung herauslocken.

»Warte«, sagte die beste Ehefrau von allen und verschwand. Aus Rafis Zimmer wurde plötzlich die gellende Stimme eines mit Hochfrequenz heulenden Kleinkindes hörbar. Kurz darauf kehrte meine Frau zurück.

»Hast du ihn gezwickt?« fragte ich.

Sie bejahte von der halboffenen Türe her, durch die wir jetzt Frau Poppers füllige Gestalt in Richtung Rafi vorübersprinten sahen.

Das gab uns Zeit, das Haus zu verlassen und es mit einem lauten, fröhlichen »Guten Morgen!« sogleich wieder zu betreten.

»Eine feine Stunde, nach Hause zu kommen!« bemerkte tadelnd Frau Regine Popper und wiegte auf fleischigen Armen den langsam ruhiger werdenden Rafi in den Schlaf. »Wo waren Sie so lange?«

»Bei einer Orgie.«

»Ach Gott, die heutige Jugend . . .«

Frau Regine Popper schüttelte den Kopf, brachte den nun wieder friedlich schlummernden Rafi in sein Bettchen zurück, bezog ihre Gage und trat in den kühlen Morgen hinaus, um nach einem Scherut Ausschau zu halten.

Ich hatte mich entschlossen, die Sommerferien heuer mit meiner Frau zu verbringen. Unsere Wahl fiel auf ein bestrenommiertes Hotel im kühlen Norden, ein ruhiges und bescheidenes Haus, weit weg vom Lärm der großen Städte. Auch gibt es dort weder Rock noch Roll. Auch muß man dort keinen puren Whisky trinken, um als Angehöriger des »smart set« zu gelten.

Ich meldete ein Ferngespräch an und bestellte ein Zimmer für meine Frau und mich.

»Sehr wohl, mein Herr.« Die Stimme des Portiers barst von diskretem Diensteifer. »Kommen Sie gemeinsam an?«

»Selbstverständlich«, antwortete ich. »Was ist das für eine dumme Frage?«

Nachdem wir gemeinsam angekommen waren, füllte ich mit ein paar genialisch hingeworfenen Federstrichen den Meldezettel aus. Und was geschah dann? Dann händigte der Portier jedem von uns einen Schlüssel aus.

»Der Herr hat Nummer 17, die Dame Nummer 203.«

»Augenblick«, sagte ich. »Ich hatte ein Doppelzimmer bestellt.«

»Sie wollen ein gemeinsames Zimmer?«

»Selbstverständlich. Das ist meine Frau.«

Mit weltgewandten Schritten näherte sich der Portier unserem Gepäck, um die kleinen Schilder zu begutachten, die unsern Namen trugen. In diesem Augenblick durchzuckte es mich wie ein fahler Blitz: Die Schilder trugen gar nicht unsern Namen. Nämlich nicht alle. Meine Frau hatte sich zwei Koffer von ihrer Mutter ausgeborgt, und die Schilder dieser Koffer trugen begreiflicherweise den Namen Erna Spitz.

Der Portier kehrte blicklos hinter das Empfangspult zurück und händigte meiner Frau einen Schlüssel ein. »Hier ist der Schlüssel zu Ihrem gemeinsamen Zimmer, Frau Kishon.« Die beiden letzten Worte wußte er unnachahmlich zu dehnen.

»Wollen Sie . . . wenn Sie vielleicht . . .«, stotterte ich. »Vielleicht wollen Sie unsere Personalausweise sehen?«

»Nicht nötig. Wir kontrollieren diese Dinge nicht. Das ist Ihre Privatangelegenheit.«

Es war keine reine Freude, die erstaunlich langgestreckte Hotelhalle zu durchmessen. Gierige Augenpaare folgten uns, gierige Männer grinsten sarkastisch und dennoch anerkennend. Mir fiel plötzlich auf, daß meine kleine Frau, die beste Ehefrau von allen, nun also doch dieses knallrote Kleid angezogen hatte, das immer so viel Aufsehen macht. Auch ihre Absätze waren viel zu hoch. Verdammt noch einmal. Der fette, glatzköpfige Kerl dort drüben – wahrscheinlich aus der Import-Export-Branche – zeigte mit dem Finger nach uns und flüsterte etwas in das Ohr der attraktiven Blondine, die neben ihm im Fauteuil saß. Ekelerregend. Daß ein so junges Ding sich nicht geniert, in aller Öffentlichkeit mit diesem alten Lüstling aufzutreten. Als gäbe es im ganzen Land keine netten jungen Männer, wie ich einer bin.

»Hallo, Ephraim!«

Ich drehe mich um. Der ältere der beiden Brüder Schleißner, flüchtige Bekannte von mir, lümmelt in einer Ecke, winkt mir zu und macht eine Geste, die so viel bedeutet wie »Alle Achtung!«. Er soll sich hüten. Gewiß, meine Frau kann sich sehen lassen – aber gleich »Alle Achtung«? Was fällt ihm eigentlich ein?

Das Abendessen im großen Speisesaal war ein einziger Alptraum. Während wir bescheiden zwischen den Tischen hindurchgingen, drangen von allen Seiten Gesprächsfetzen an unser Ohr: »Hat das Baby zu Hause bei seiner Frau gelassen . . . Ein bißchen mollig, aber man weiß ja, daß er . . . Wohnen in einem Zimmer zusammen, als wären sie . . . Kenne seine Frau seit Jahren. Ein Prachtgeschöpf. Und er bringt es über sich, mit so einer . . .«

Schleißner sprang auf, als wir uns seinem Tisch näherten, und zog seine Begleiterin hinter sich her, deren Ringfinger deutlich von einem Ehering geziert war. Er stellte sie uns als seine Schwester vor. Geschmacklos. Einfach geschmacklos. Ich machte die beiden mit meiner Frau bekannt. Schleißner küßte ihr die Hand und ließ ein provokant verständnisvolles Lachen hören. Dann nahm er mich beiseite.

»Zu Hause alles in Ordnung?« fragte er. »Wie geht's deiner Frau?«

»Du hast doch gerade mit ihr gesprochen!«

»Schon gut, schon gut.«

Er faßte mich verschwörerisch am Arm und zerrte mich zur Bar, wo er sofort einen doppelten Wodka für mich bestellte. Ich müßte mir diese altmodischen Hemmungen abgewöhnen, erklärte er mir gönnerhaft. Und was heißt denn da überhaupt »betrügen«? Es ist

Sommer, es ist heiß, wir alle sind müde und erholungsbedürftig, derlei kleine Eskapaden helfen dem geplagten Gatten bei der Überwindung der Schwierigkeiten, die ihm die Gattin macht, jeder versteht das, alle machen es so, was ist schon dabei. Und er sei überzeugt, daß meine Frau, falls sie davon erfährt, mir verzeihen würde.

»Aber ich bin doch mit meiner Frau hier!« stöhnte ich.

»Warum so verschämt, mein Junge? Gar kein Anlaß . . .«

Es war zwecklos. Ich kehrte zu meiner Frau zurück und er zu seiner »Schwester«. Langsam und zögernd zerstreuten sich die männlichen Bestien, die in der Zwischenzeit den Tisch meiner Frau umlagert hatten. Zu meinem Befremden mußte ich feststellen, daß sie an solcherlei Umlagerung Gefallen fand. Sie war von einer fast unnatürlichen Lebhaftigkeit, und in ihren Augen funkelte es verräterisch. Einer der Männer, so erzählte sie mir – übrigens ein sehr gut aussehender –, hätte sie rundheraus aufgefordert, »diesen lächerlichen Zwerg stehenzulassen und in sein Zimmer zu übersiedeln«.

»Natürlich habe ich ihn abgewiesen«, fügte sie beruhigend hinzu. »Ich würde niemals ein Zimmer mit ihm teilen. Er hat viel zu große Ohren.«

»Und daß du mit mir verheiratet bist, spielt keine Rolle?«

»Ach ja, richtig«, besann sich mein Eheweib. »Ich bin schon ganz verwirrt.«

Etwas später kam der Glatzkopf aus der Import-Export-Branche auf uns zu und stellte uns sein blondes Wunder vor. »Gestatten Sie – meine Tochter«, sagte er.

Ich verspürte Lust, ihm die Faust ins schmierige Gesicht zu schlagen. Meine Tochter! Wirklich eine Unverschämtheit. Sie sah ihm überhaupt nicht ähnlich. Nicht einmal eine Glatze hatte sie. Langsam wurde es mir zu dumm.

»Gestatten Sie – meine Freundin.« Und ich deutete mit eleganter Handbewegung auf meine Frau. »Fräulein Erna Spitz.«

Das war der erste Schritt zu einer fundamentalen Umwertung unserer ehelichen Beziehungen. Meine Frau veränderte sich mit bewundernswerter Geschwindigkeit. Wollte ich vor Leuten nach ihrer Hand fassen oder sie auf die Wange küssen, entwand sie sich mir mit der Bemerkung, daß sie auf ihren Ruf achten müsse. Einmal, beim Abendessen, versetzte sie mir sogar einen schmerzhaften Klaps auf die Hand. »Bist du verrückt geworden?« zischte sie.

»Was sollen sich die Leute denken? Vergiß nicht, daß du ein verheirateter Mann bist. Es wird sowieso schon genug über uns getratscht.«

Damit hatte sie recht. Beispielsweise war uns zu Ohren gekommen, daß wir in einer Vollmondnacht nackt im Meer gebadet hätten. Anderen Gerüchten zufolge konsumierten wir gemeinsam Rauschgift. Schleißners »Schwester« wußte sogar, daß wir nur deshalb hierhergekommen wären, weil der Gatte meiner Begleiterin uns in unserem vorangegangenen Liebesnest in Safed aufgespürt hätte; die Flucht wäre uns nur ganz knapp geglückt.

»Stimmt das?« fragte die Schleißner-Schwester. »Ich sag's niemandem weiter.«

»Es stimmt nicht ganz«, erklärte ich bereitwillig. »Der Gatte meiner Freundin war zwar in Safed, aber mit dem Stubenmädchen. Und der Liebhaber des Stubenmädchens – nebenbei glücklich verheiratet und Vater von drei Kindern – ist ihnen dorthin nachgeeilt und hat ihm das Mädchen wieder entrissen. Daraufhin beschloß der Gatte, sich an uns zu rächen. Und seither will die wilde Jagd kein Ende nehmen!«

Die Schwester schwor aufs neue, stumm wie ein Grab zu bleiben, und empfahl sich, um den Vorfall mit den übrigen Hotelgästen zu besprechen.

Eine Viertelstunde später wurden wir in die Hoteldirektion gerufen, wo man uns nahelegte, vielleicht doch getrennte Zimmer zu nehmen. Der Form halber.

Ich blieb hart. Nur der Tod würde uns trennen, sagte ich.

Nach und nach wurde die Lage unhaltbar – allerdings aus einem andern Grund, als man vermuten sollte. Meine kleine Frau, die beste Ehefrau von allen, machte es sich nämlich zur Regel, die teuersten Speisen zu wählen und französischen Champagner als Tischgetränk zu bestellen. In einem kleinen silbernen Kübel mit Eis darinnen. Als eine Woche vergangen war, rückte sie mit der unverblümten Forderung nach Pelzen und Juwelen heraus. Das sei in solchen Fällen üblich, behauptete sie.

Gerade noch rechtzeitig erfolgte der Umschwung. Eines Morgens tauchte ein Journalist aus Haifa auf, einer dieser Allerweltsreporter, die mit jedem Menschen per du sind und sich überall auskennen.

»Einen gottverlassenen Winkel habt ihr euch da ausgesucht«, murrte er wenige Stunden nach seiner Ankunft. »Ich hätte nicht geglaubt, daß es irgendwo so sterbensfad sein kann wie hier. Schleißner kommt mit seiner Schwester, du kommst mit deiner Frau, und dieser glatzköpfige Zivilrichter weiß sich nichts Besseres mitzubringen als seine Tochter. Sie ist Klavierlehrerin. Jetzt sag mir bloß: Wie hast du es in dieser kleinbürgerlichen Atmosphäre so lange ausgehalten?«

Am nächsten Tag verließen wir das Hotel. Friede kehrte in unsere Ehe ein.

Nur ab und zu wirft meine Frau mir noch vor, daß ich sie betrogen hätte, und zwar mit ihr selbst.

In dem Supermarkt

Man kann nie wissen, ob ein Schiff, das mit Waren nach Israel unterwegs ist, auch wirklich ankommen wird. Vielleicht läuft es auf eine Sandbank auf oder wird durch eine Meuterei oder sonst etwas am Ankommen gehindert. So erklärt sich die frenetische Kaufhysterie, die unter der Bevölkerung ausbrach, als der erste Supermarkt – ein weiteres Zeichen unserer kulturellen Verbundenheit mit dem Westen – in Tel Aviv eröffnet wurde.

Drei Tage lang übten meine Frau und ich heroische Zurückhaltung. Dann war es vorbei. Wir hatten gerade noch die Kraft zu einer letzten Vorsichtsmaßregel: Um dem Schicksal einiger unserer Nachbarn zu entgehen, die an einem einzigen Einkaufsnachmittag Bankrott gemacht hatten, ließen wir unsere Brieftaschen zu Hause und nahmen statt dessen unseren Erstgeborenen, den allgemein als »Rafi« bekannten Knaben, in den Supermarkt mit.

Gleich am Eingang herrschte lebensgefährliches Gedränge. Wir wurden zusammengepreßt wie – tatsächlich, da war es auch schon:

»Sardinen!« rief meine Frau mit schrillem Entzücken und machte einen sehenswerten Panthersatz direkt an den strategisch postierten Verkaufstisch, um den sich bereits zahllose Hausfrauen mit Zähnen und Klauen balgten. Man hätte an Hand der dort aufgestapelten Sardinenbüchsen eine kleine Weltreise zusammenstellen können: Es gab französische, spanische, portugiesische, italienische, jugoslawische, albanische, cypriotische und heimische Sardinen, es gab Sardinen in Öl, in Tomatensauce, in Weinsauce und in Yoghurt.

Meine Frau entschied sich für norwegische Sardinen und nahm noch zwei Dosen von ungewisser Herkunft dazu.

»Hier ist alles so viel billiger«, sagte sie.

»Aber wir haben doch kein Geld mitgenommen?«

»In meiner Handtasche war zufällig noch eine Kleinigkeit.«

Und damit bemächtigte sie sich eines dieser handlichen Einkaufsgestelle auf Rädern, um die elf Sardinenbüchsen hineinzutun. Nur aus Neugier, nur um zu sehen, was das eigentlich sei, legte sie eine Dose mit der Aufschrift »Gold-Sirup« dazu. Plötzlich erbleichte sie und begann zu zittern:

»Rafi! Um Himmels willen – wo ist Rafi?«
Der geneigte Leser ist gebeten, sich die Panik zweier Eltern auszumalen, deren Kind unter den Hufen einer einhertrampelnden Büffelherde verschwunden ist. So ungefähr war uns zumute.
»Rafi!« brüllten wir beide aus vollem Hals. »Rafael! Liebling!«
»Spielwarenabteilung zweiter Block links«, informierte uns ein erfahrenes Mitglied des Verkaufsstabes.
Im nächsten Augenblick zerriß ein betäubender, explosionsartiger Knall unser Trommelfell. Der Supermarkt erzitterte bis in die Grundfesten und neigte sich seitwärts. Wir seufzten erleichtert auf. Rafi hatte sich an einer kunstvoll aufgerichteten Pyramide von etwa fünfhundert Kompottkonserven zu schaffen gemacht und hatte mit dem untrüglichen Instinkt des Kleinkindes die zentrale Stützkonserve aus der untersten Reihe herausgezogen. Um unseren kleinen Liebling für den erlittenen Schreck zu trösten, kauften wir ihm ein paar Süßigkeiten, Honig, Schweizer Schokolade, holländischen Kakao, etwas pulverisierten Kaffee und einen Beutel Pfeifentabak. Während ich den Überschuß auf unserem Einkaufswägelchen verstaute, sah ich dort noch eine Flasche Parfüm, ein Dutzend Notizbücher und zehn Kilo rote Rüben liegen.
»Weib!« rief ich aus. »Das ist nicht unser Wagen!«
»Nicht? Na wennschon.«
Ich muß gestehen, daß diese Antwort etwas für sich hatte. Es war im ganzen kein schlechter Tausch, den wir da machten. Außer den bereits genannten Objekten enthielt unser neuer Wagen noch eine erkleckliche Anzahl freundlich gerundeter Käsesorten, Kompotte in verschiedenen Farben, Badetücher und einen Besen.
»Können wir alles brauchen«, erklärte meine Frau. »Fragt sich nur, womit wir's bezahlen sollen.«
»So ein Zufall.« Ich schüttelte verwundert den Kopf. »Eben habe ich in meiner Hosentasche die Pfundnoten entdeckt, die ich neulich so lange gesucht hatte.«
Von Gier getrieben, zogen wir weiter, wurden Zeugen eines mitreißenden Handgemenges dreier Damen, deren Laufkarren in voller Fahrt zusammengestoßen waren, und mußten dann aufs neue nach Rafis Verbleib forschen. Wir fanden ihn am ehemaligen Eierverkaufsstand.
»Wem gehört dieser Wechselbalg?« schnaubte der Obereierverkäufer, gelb vor Wut und Eidotter. »Wer ist für dieses Monstrum verantwortlich?«

Wir erteilten ihm die gewünschte Auskunft, indem wir unseren Sohn eilig abschleppten, kauften noch einige Chemikalien für Haushaltszwecke und kehrten zu unserem Wagen zurück, auf den irgend jemand in der Zwischenzeit eine Auswahl griechischer Weine, eine Kiste Zucker und mehrere Kannen Öl aufgehäuft hatte. Um Rafi bei Stimmung zu halten, setzten wir ihn zuoberst auf den Warenberg und kauften ihm ein japanisches Schaukelpferd, dem wir zwei Paar reizende Hausschuhe für Rafis Eltern unter den Sattel schoben.

»Noch!« stöhnte meine Gattin mit glasigen Augen.

»Mehr!«

Wir angelten uns einen zweiten Wagen, stießen zur Abteilung »Fleisch und Geflügel« vor und erstanden mehrere Hühner, Enten und Lämmer, verschiedene Wurstwaren, Frankfurter, geräucherte Zunge, geräucherte Gänsebrust, Rauchfleisch, Kalbsleberpastete, Gänseleberpastete, Dorschleberpastete, Karpfen, Krabben, Krebse, Lachs, einen Mosche Rabenu, einen Alexander den Großen, einen halben Wal und etwas Lebertran. Nach und nach kamen verschiedene Eierkuchen hinzu, Paprika, Zwiebeln, Kapern, eine Fahrkarte nach Capri, Zimt, Vanille, Vaselin, vasomotorische Störungen, Bohnen, Odol, Spargel, Speisesoda, Äpfel, Nüsse, Pfefferkuchen, Feigen, Datteln, Langspielplatten, Wein, Weib, Gesang, Spinat, Hanf, Melonen, ein Carabinieri, Erdbeeren, Himbeeren, Brombeeren, Blaubeeren, Haselnüsse, Kokosnüsse, Erdnüsse, Nüsse, Mandarinen, Mandolinen, Mandeln, Oliven, Birnen, elektrische Birnen (sechzig Watt), ein Aquarium, Brot, Schnittlauch, Leukoplast, ein Flohzirkus, ein Lippenstift, ein Mieder, Ersatzreifen, Stärke, Kalorien, Vitamine, Proteine, ein Sputnik und noch ein paar kleinere Anschaffungen.

Unseren aus sechs Wagen bestehenden Zug zur Kasse zu dirigieren, war nicht ganz einfach, weil das Kalb, das ich an den letzten Wagen angebunden hatte, immer zu seiner Mutter zurück wollte. Schließlich waren wir soweit, und der Kassier begann schwitzend die Rechnung zusammenzustellen. Ich nahm an, daß sie ungefähr dem Defizit der israelischen Handelsbilanz entsprechen würde, aber zu meinem Erstaunen belief sie sich auf nicht viel mehr als viertausend Pfund. Was uns am meisten beeindruckte, war die Geschicklichkeit, mit der die Verkäufer unsere Warenbestände in große, braune Papiersäcke verpackten. Nach wenigen Minuten war alles fix und fertig. Nur Rafi fehlte.

»Haben Sie nicht irgendwo einen ganz kleinen Buben gesehen?«
fragten wir in die Runde.

Einer der Packer kratzte sich nachdenklich am Hinterkopf.

»Augenblick . . . Einen blonden Buben?«

»Ja. Er beißt.«

»Da haben Sie ihn.« Der Packer öffnete einen der großen Papiersäcke. Drinnen saß Rafi und kaute zufrieden an einer Tube Zahnpasta.

»Entschuldigen Sie«, sagte der Packer. »Ich dachte, Sie hätten den Kleinen hier gekauft.«

Wir bekamen für Rafi zweitausendsiebenhundert Pfund zurückerstattet und verließen den Supermarkt. Draußen warteten schon die beiden Lastautos.

SCHRECKENSROTKÄPPCHEN

Zeit: 9 Uhr abends.

Die Eltern sind im Kino. Rafi ist in der Obhut der unvergleichlichen Regine Popper zurückgeblieben. Er liegt mit offenen Augen im Bettchen und kann nicht einschlafen. Die Straßenbeleuchtung wirft unheimliche Licht- und Schattengebilde in die Ecken des Zimmers. Draußen stürmt es. Der Wüstenwind trägt ab und zu das Geheul von Schakalen heran. Manchmal wird auch der klagende Ruf eines Uhus hörbar.

Frau Popper: Schlaf, Rafilein! Schlaf doch endlich!

Rafi: Will nicht.

Frau Popper: Alle braven Kinder schlafen jetzt.

Rafi: Du bist häßlich.

Frau Popper: Möchtest du etwas zum Trinken haben?

Rafi: Eiscreme.

Frau Popper: Wenn du brav einschläfst, bekommst du Eiscreme. Soll ich dir wieder so eine schöne Geschichte erzählen wie gestern?

Rafi: Nein! Nein!

Frau Popper: Es ist aber eine sehr schöne Geschichte. Die Geschichte von Rotkäppchen und dem bösen Wolf.

Rafi (wehrt sich verzweifelt): Will kein Rotkäppchen! Will keinen bösen Wolf!

Frau Popper (vereitelt seinen Fluchtversuch): So. Und jetzt sind wir hübsch ruhig und hören brav zu. Es war einmal ein kleines Mädchen, das hieß Rotkäppchen.

Rafi: Warum?

Frau Popper: Weil sie auf ihrem kleinen Köpfchen immer ein kleines rotes Käppchen trug.

Rafi: Eiscreme!

Frau Popper: Morgen. Und was tat das kleine Rotkäppchen? Es ging seine Großmutter besuchen, die mitten im Wald in einer kleinen Hütte lebte. Der Wald war fürchterlich groß, und wenn man einmal drin war, fand man nie wieder heraus. Die Bäume reichten bis in den Himmel. Es war ganz finster in diesem Wald.

Rafi: Will nicht zuhören!

Frau Popper: Jeder kleine Junge kennt die Geschichte vom Rotkäppchen. Was werden Rafis Freunde sagen, wenn sie erfahren, daß Rafi die Geschichte nicht kennt?

Rafi: Weiß nicht.

Frau Popper: Siehst du? Rotkäppchen ging durch den Wald, durch
den schrecklich großen, finstern Wald. Sie war ganz allein
und hatte solche Angst, daß sie an allen Gliedern zitterte und
bebte . . .

Rafi: Gut, ich schlaf jetzt ein.

Frau Popper: Du darfst Tante Regine nicht unterbrechen. Das
kleine Rotkäppchen ging immer weiter, ganz allein, immer
weiter, ganz allein. Ihr kleines Herzchen klopfte zum Zerspringen, und sie bemerkte gar nicht, daß hinter einem Baum
ein großer Schatten lauerte. Es war der Wolf.

Rafi: Welcher Wolf? Warum der Wolf? Will keinen Wolf!

Frau Popper: Es ist ja nur ein Märchen, du kleiner Dummkopf.
Und der Wolf hatte *so* große Augen und *so* gelbe Zähne (sie
demonstrierte es) – hrr, hrr!

Rafi: Wann kommt Mami zurück?

Frau Popper: Und der große, böse Wolf lief zu der Hütte, wo die
Großmutter schlief – öffnete leise die Türe – schlich bis zum
Bett – und – hamm, hamm – fraß die Großmutter auf.

Rafi (stößt einen Schrei aus, springt aus dem Bett und versucht
zu fliehen).

Frau Popper (in wilder Jagd rund um den Tisch): Rafi! Rafael! Geh
sofort ins Bett zurück, sonst erzähl ich dir die Geschichte
nicht weiter! Komm, Liebling, komm . . . Weißt du, was das
kleine Rotkäppchen tat, als es den Wolf in Großmutters Bett
liegen sah? Es fragte:»Großmutter, warum hast du so große
Augen? Und warum hast du so große Ohren? Und warum
hast du so schreckliche Krallen an den Händen?« Und –

Rafi (springt aufs Fensterbrett, stößt das Fenster auf): Hilfe!
Hilfe!

Frau Popper (reißt ihn zurück, gibt ihm einen Klaps auf den Popo,
schließt das Fenster): Und plötzlich sprang der Wolf aus dem
Bett und – hamm, hamm –

Rafi: Mami, Mami!

Frau Popper: – fraß das kleine Rotkäppchen auf, mit Haut und
Haar und Käppchen – hamm, hamm, hrr, krr!

Rafi (kriecht heulend unters Bett, drückt sich gegen die Wand).

Frau Popper (legt sich vor das Bett): Hrr, krr, hamm, hamm . . .
Aber auf einmal kam der Onkel Jäger mit seinem großen
Schießgewehr und – puff, bumm – schoß den bösen Wolf tot.
Großmutter und Rotkäppchen aber sprangen fröhlich aus
dem bösen Bauch des bösen Wolfs.

Rafi (steckt den Kopf hervor): Ist es schon aus?

Frau Popper: Noch nicht. Sie füllten den Bauch des bösen Wolfs
mit großen Steinen, mit vielen, entsetzlich großen Steinen,
und – plop, plumps – warfen ihn in den Bach.

Rafi (oben auf dem Schrank): Aus?

Frau Popper: Aus, mein kleiner Liebling. Eine schöne Geschichte,
nicht wahr?

Mami (soeben nach Hause gekommen, tritt ein): Rafi, komm sofort herunter! Was ist denn los, Frau Popper?

Frau Popper: Das Kind ist heute ein wenig unruhig. Ich habe ihm
zur Beruhigung eine Geschichte erzählt.

Mami (indem sie Rafis schweißverklebtes Haar streichelt): Danke,
Frau Popper. Was täten wir ohne Sie?

Kontakt mit Linsen

»Ephraim«, sagte meine Frau, die beste Eherfrau von allen, »Ephraim – bin ich schön?«
»Ja«, sagte ich. »Warum?«
Es zeigte sich, daß die beste Ehefrau von allen sich schon seit geraumer Zeit mit diesem Problem beschäftigt hatte. Sie weiß natürlich und gibt auch zu, daß nichts Besonderes an ihr dran ist. Trotzdem jedoch und immerhin: Irgend etwas, so meint sie, sei doch an ihr dran. Das heißt: wäre an ihr dran, wenn sie keine Brille tragen müßte.
»Eine Frau mit Brille«, sagte sie, »ist wie eine gepreßte Blume.«
Dieser poetische Vergleich war nicht auf ihrem Mist gewachsen. Sie mußte den Unsinn irgendwo gelesen haben. Wahrscheinlich in einem Zeitungsinserat, das die gigantischste Erfindung seit der Erfindung des Rades anpries: die Kontaktlinsen. Die ganze zivilisierte Welt ist voll damit. Zwei winzige gläserne Linsen, höchstens 5 Millimeter im Durchmesser, die man ganz einfach auf den Augapfel aufsetzt – und schon ist alles in Ordnung. Deine Umgebung sieht nichts, die menschliche Gesellschaft sieht nichts, nur dein scharf bewehrtes Auge sieht alles. Es ist ein Wunder und eine Erlösung, besonders für kurzsichtige Schauspielerinnen, Korbballspieler und alte Jungfern.
Auch über unser kleines Land hat der Zauber sich ausgebreitet.
»Ein Mannequin aus Haifa«, so hieß es auf einem der jüngsten Werbeplakate, »begann Kontaktlinsen zu tragen – und war nach knapp drei Monaten bereits die geschiedene Frau eines gutaussehenden südamerikanischen Millionärs.«
Eine sensationelle Erfindung. Es lebe die Kontaktlinse! Nieder mit den altmodischen, unbequemen Brillen, die eine starre Glaswand zwischen uns und die Schönheit weiblicher Augen schieben!
»Ich habe mir die Adresse eines hervorragenden Experten verschafft«, informierte mich meine Gattin. »Kommst du mit?«
»Ich?«
»Natürlich du. Du bist es ja, für den ich schön sein will.«
Im Wartezimmer des hervorragenden Experten warteten ungefähr tausend Patienten. Die meisten von ihnen waren mit dem Gebrauch von Kontaktlinsen bereits vertraut. Einige hatten sich so

sehr daran gewöhnt, daß nicht einmal sie selbst mit Sicherheit sagen konnten, ob sie Kontaktlinsen trugen oder nicht. Das war offenbar der Grund, warum sie den hervorragenden Experten aufsuchten.

Ein Herr in mittleren Jahren demonstrierte gerade die Leichtigkeit, mit der sich die Linse anbringen ließ. Er legte sie auf die Spitze seines Zeigefingers, dann, bitte aufzupassen, hob er den Finger direkt an seine Pupille – und ohne mit der Wimper zu zukken – halt – wo ist die Linse?

Die Linse war zu Boden gefallen. Achtung! Vorsicht! Bitte um Ruhe! Bitte um keine wie immer geartete Bewegung!

Wir machten uns das entstandene Chaos zunutze und schlüpften ins Ordinationszimmer des Spezialisten, eines netten jungen Mannes, der seinen Beruf als Optiker mit enthusiastischer Gläubigkeit ausübte.

»Es ist ganz einfach«, verkündete er. »Das Auge gewöhnt sich nach und nach an den Fremdkörper, und in erstaunlich kurzer Zeit –«

»Verzeihung«, unterbrach ich ihn. »In *wie* erstaunlich kurzer Zeit?«

»Das hängt davon ab.«

»Wovon hängt das ab?«

»Von verschiedenen Umständen.«

Der Fachmann begann eine Reihe fachmännischer Tests durchzuführen und erklärte sich vom Ergebnis hoch befriedigt. Die Beschaffenheit des Okular-Klimas meiner Gattin, so erläuterte er, sei für Kontaktlinsen ganz besonders gut geeignet. Dann demonstrierte er, wie einfach sich die Linse auf die Pupille placieren ließ und wie einfach sie sechs Stunden später wieder zu entfernen war.

Ein kleines Schnippen des Fingers genügte.

Die beste Ehefrau von allen erklärte sich bereit, die riskante Prozedur auf sich zu nehmen.

Eine Woche später wurden ihr die perfekt zugeschliffenen Linsen in einem geschmackvollen Etui zugestellt, wofür ich einen geschmackvollen Scheck in Höhe von 300 Pfund auszustellen hatte.

Noch am gleichen Abend, im Rahmen einer kleinen Familien-Reunion, begann sie mit dem Gewöhnungsprozeß, streng nach den Regeln, an die sie sich fortan halten wollte: erster Tag – 15 Minuten, zweiter Tag – 20 Minuten, dritter Tag – Dritter Tag?

Was für ein dritter Tag, wenn ich fragen darf? Genauer gefragt: Was für ein zweiter? Und ganz genau: Was für ein erster?

Kurzum: Nachdem sie die beiden mikroskopisch kleinen unmerklich gewölbten Dinger vorschriftsmäßig gesäubert hatte, legte sie die eine Linse auf ihre Fingerspitze und bewegte ihren Finger in Richtung Pupille. Der Finger kam näher, immer näher – er wurde größer, immer größer – er wuchs – er nahm furchterregende Dimensionen an –

»Ephraim, ich habe Angst!« schrie sie in bleichem Entsetzen.

»Nur Mut, nur Mut«, sagte ich beruhigend und aufmunternd zugleich. »Du darfst nicht aufgeben. Schließlich habe ich für das Zeug 300 Pfund gezahlt. Versuch's noch einmal.«

Sie versuchte es noch einmal. Zitternd, mit zusammengebissenen Zähnen, führte sie den Finger mit der Linse an ihr Auge heran – näher als beim ersten Versuch – schon war er ganz nahe vor dem Ziel – schon hatte er das Ziel angepeilt – und schwupps! war er im Weißen ihres Auges gelandet.

Es dauerte ungefähr eine halbe Stunde, bis die Linse richtig auf der Pupille saß. Aber dann war's herrlich! Keine Brillen – das Auge bewahrt seine natürliche Schönheit – seinen Glanz – sein Glitzern – es ist eine wahre Pracht. Natürlich gab es noch kleine Nebeneffekte und Störungen. Zum Beispiel waren die Nackenmuskeln zeitweilig paralysiert, und der Ausdruck des ständig nach oben gekehrten Gesichts war ein wenig starr. Aber anders hätte das bejammernswerte Persönchen ja überhaupt nichts gesehen, anders hätte sie unter ihren halb geschlossenen Augenlidern auch noch zwinkern müssen. Und mit dem Zwinkern wollte es nicht recht klappen. Es tat weh. Es tat, wenn sie es auch nur ansatzweise versuchte, entsetzlich weh. Deshalb versuchte sie es gar nicht mehr. Sie saß da wie eine tiefgekühlte Makrele, regungslos gegen die Rückenlehne des Sessels gelehnt, und die Tränen liefen ihr aus den starr zur Decke gerichteten Augen. Volle fünfzehn Minuten lang. Dann ertrug sie es nicht länger und entfernte die Linsen.

Das heißt: Sie würde die Linsen entfernt haben, wenn sich die Linsen hätten entfernen lassen. Sie ließen sich aber nicht. Sie trotzten den immer verzweifelteren Versuchen, sie zu entfernen. Sie rührten sich nicht.

»Steh nicht herum und glotz nicht so blöd!« winselte die beste Ehefrau von allen. »Tu etwas! Rühr dich!«

Ich konnte den tadelnden Unterton in ihrer Stimme wohl verstehen. Schließlich hatte sie all diese Pein nur meinetwegen auf sich genommen. Ich suchte in meinem Werkzeugkasten nach einem geeigneten Instrument, mit dem sich die tückischen kleinen Gläser hätten entfernen lassen, schüttete den gesamten Inhalt des Kastens auf den Boden, fand aber nur eine rostige Beißzange und mußte zwischendurch immer wieder die Schmerzensschreie meiner armen Frau anhören. Schließlich rief ich telefonisch eine Ambulanz herbei.

»Hilfe!« schrie ich ins Telefon. »Ein dringender Fall! Zwei Kontaktlinsen sind meiner Frau in die Augen gefallen! Es eilt!«

»Idiot!« rief die Ambulanz zurück. »Gehen Sie zu einem Optiker!«

Ich tat, wie mir geheißen, hob die unausgesetzt Jammernde aus ihrem Sessel, wickelte sie um meine Schultern, trug sie zum Auto, raste zu unserem Spezialisten und stellte sie vor ihn hin.

In Sekundenschnelle, mit einer kaum merklichen Bewegung zweier Finger, hatte er die beiden Linsen entfernt.

»Wie lange waren sie denn drin?« erkundigte er sich.

»Eine Viertelstunde freiwillig, eine Viertelstunde gezwungen.«

»Nicht schlecht für den Anfang«, sagte der Experte und händigte uns als Abschiedsgeschenk eine kleine Saugpumpe aus Gummi ein, ähnlich jenen, die man zum Säubern verstopfter Abflußrohre in der Küche verwendet, nur viel kleiner. Diese Miniaturpumpe sollte man, wie er uns einschärfte, direkt auf die Miniaturlinse ansetzen, und zwar derart, daß ein kleines Vakuum entsteht, welches bewirkt, daß die Linse von selbst herausfällt. Es war ganz einfach.

Man würde kaum glauben, welche Mißhandlungen das menschliche Auge erträgt, wenn es nur will. Jeden Morgen, pünktlich um 9.30 Uhr, überwand die beste Ehefrau von allen ihre panische Angst und preßte die beiden Glasscherben in ihre Augen. Dann machte sie sich mit kleinen, zögernden Schritten auf den Weg in mein Zimmer, tastete sich mit ausgestreckten Armen an meinen Schreibtisch heran und sagte:

»Rate einmal, ob ich jetzt die Linsen drin habe.«

Das stand im Einklang mit dem Text des Inserats, demzufolge es völlig unmöglich war, das Vorhandensein der Linsen mit freiem Auge festzustellen. Daher ja auch die große Beliebtheit dieses optischen Wunders.

Den Rest der täglichen Prüfungszeit verbrachte meine Frau mit leisem, aber beständigem Schluchzen. Bisweilen schwankte sie haltlos durch die Wohnung, und über ihre vertrockneten Lippen kamen ein übers andremal die Worte: »Ich halt's nicht aus . . . ich halt's nicht aus . . .«

Sie litt, es ließ sich nicht leugnen. Auch ihr Äußeres litt. Sie wurde, um es mit einem annähernd zutreffenden Wort zu sagen, häßlich. Ihre geröteten Augen quollen beim geringsten Anlaß über, und das ständige Weinen machte sich auch in ihren Gesichtszügen nachteilig geltend. Obendrein dauerte die Qual von Tag zu Tag länger. Und dazu die täglichen Eilfahrten zum Optiker, damit er die Linsen entferne. Denn die kleine Gummipumpe war ein Versager, das zeigte sich gleich beim ersten Mal, als meine Frau sie in Betrieb nahm. Das Vakuum, das programmgemäß entstand, hätte ihr fast das ganze Auge herausgesaugt.

Niemals werde ich den Tag vergessen, an dem das arme kleine Geschöpf zitternd vor mir stand und verzweifelt schluchzte: »Die linke Linse ist in meinen Augenwinkel gerutscht. Wer weiß, wo sie sich jetzt herumtreibt.«

Ich erwog ernsthaft, eine Krankenschwester aufzunehmen, die im Entfernen von Kontaktlinsen spezialisiert wäre, aber es fand sich keine. Auch unsere Gespräche über die Möglichkeit einer Emigration oder einer Scheidung führten zu nichts.

Gerade als ich alle Hoffnung aufgeben wollte, buchstäblich im letzten Augenblick, erfolgte die Wendung zum Besseren: Die beiden Linsen gingen verloren. Wir wissen bis heute nicht, wie und wo. Sie sind ja so klein, diese Linslein, so rührend klein, daß sie augenblicklich im Großstadtverkehr verschwinden, wenn man sie zufällig aus dem Fenster gleiten läßt . . .

»Und was jetzt?« jammerte die beste Ehefrau von allen. »Jetzt, wo ich mich gerade an sie gewöhnt habe, sind sie weg. Was soll ich tun?«

»Willst du das wirklich wissen?« fragte ich.

Sie nickte unter Tränen und nickte abermals, als ich sagte:

»Trag wieder deine Brille.«

Es geht ganz leicht. Am ersten Tag 15 Minuten, am zweiten 20 – und nach einer Woche hat man sich an die Brille gewöhnt. Deshalb kann man aber trotzdem von Zeit zu Zeit ohne Brille zu einer Party gehen und vor aller Welt damit prahlen, wie großartig diese neuen Kontaktlinsen sind. Man sieht sie gar nicht. Wenn man nicht gerade das Pech hat, den Büfett-Tisch umzuwerfen, glaubt's einem jeder, und man wird zum Gegenstand allgemeinen Neides.

AUF MÄUSESUCHE

Es war eine windige, in jeder Hinsicht unfreundliche Nacht, als ich kurz nach zwei Uhr durch ein gedämpftes Raschelgeräusch in unserem Wäscheschrank geweckt wurde. Auch meine Frau, die beste Ehefrau von allen, fuhr aus dem Schlaf empor und lauschte mit angehaltenem Atem in die Dunkelheit.

»Eine Maus«, flüsterte sie. »Wahrscheinlich aus dem Garten. Was sollen wir tun, was sollen wir tun? Um des Himmels willen, was sollen wir tun?«

»Vorläufig nichts«, antwortete ich mit der Sicherheit eines Mannes, der in jeder Situation den nötigen Überblick behält. »Vielleicht verschwindet sie aus freien Stücken.«

Sie verschwand aus freien Stücken nicht. Im Gegenteil. Das fahle Licht des Morgens entdeckte uns die Spuren ihrer subversiven Wühl- und Nagetätigkeit: zwei schwerbeschädigte Tischtücher.

»Das Biest!« rief meine Frau in unbeherrschtem Zorn. »Man muß dieses Biest vertilgen!«

In der folgenden Nacht machten wir uns an die Arbeit. Kaum hörten wir die Maus an der Holzwand des Schrankes nagen – übrigens ein merkwürdiger Geschmack für eine Maus –, als wir das Licht andrehten und zusprangen. In meiner Hand schwang ich den Besen, in den Augen meiner Gattin glomm wilder Haß.

Ich riß die Schranktür auf. Im zweiten Fach rechts unten, hinter den Bettdecken, saß zitternd das kleine graue Geschöpfchen. Es zitterte so sehr, daß auch die langen Barthaare rechts und links mitzitterten. Nur die stecknadelkopfgroßen, pechschwarzen Äuglein waren starr vor Angst.

»Ist es nicht süß«, seufzte die beste Ehefrau von allen und verbarg sich ängstlich hinter meinem Rücken. »Schau doch, wie das arme Ding sich fürchtet. Daß du dich unterstehst, es zu töten! Schaff's in den Garten zurück.«

Gewohnt, den kleinen Wünschen meiner kleinen Frau nachzugeben, streckte ich die Hand aus, um das Mäuschen beim Schwänzchen zu fassen. Das Mäuschen verschwand zwischen den Bettdecken. Und während ich die Bettdecken entfernte, eine nach der andern, verschwand das Mäuschen zwischen den Tischtüchern und dann zwischen den Handtüchern. Und dann zwischen den

Servietten. Und als ich den ganzen Wäschekasten geleert hatte, saß das kleine Mäuschen unter der Couch.

»Du dummes Mäuschen, du«, sagte ich mit schmeichlerischer Stimme. »Siehst du denn nicht, daß man nur dein Bestes will? Daß man dich nur in den Garten zurückbringen will? Du dumme kleine Maus?« Und ich warf mit aller Kraft den Besen nach ihr.

Nach dem dritten mißglückten Versuch zogen wir die Couch in die Mitte des Zimmers, aber Mäuschen saß da schon längst unterm Büchergestell. Dank der tatkräftigen Hilfe meiner Frau dauerte es nur eine halbe Stunde, bis wir alle Bücher aus den Regalen entfernt hatten. Das niederträchtige Nagetier lohnte unsere Mühe, indem es auf einen Fauteuil sprang und in der Polsterung verschwand. Um diese Zeit ging mein Atem bereits in schweren Stößen.

»Weh dir, wenn du ihr was tust«, warnte mich die beste Ehefrau von allen. »So ein süßes kleines Geschöpf!«

»Schon gut, schon gut«, knirschte ich, während ich das auseinandergefallene Büchergestell wieder zusammenfügte. »Aber wenn ich das Vieh erwische, übergebe ich es einem Laboratorium für Experimente am lebenden Objekt . . .«

Gegen fünf Uhr früh fielen wir im Zustand völliger geistiger und körperlicher Erschöpfung ins Bett. Mäuschen nährte sich die ganze Nacht rechtschaffen von den Innereien unseres Fauteuils.

Ein schriller Schrei ließ mich bei Tagesanbruch aus dem Schlaf hochfahren. Meine Frau deutete mit zitterndem Finger auf unsern Fauteuil, in dessen Armlehne ein faustgroßes Loch prangte:

»Das ist zuviel! Hol sofort einen Mäusevertilger!«

Ich rief eines unserer bekanntesten Mäusevertilgungsinstitute an und erzählte die Geschichte der vergangenen Nacht. Der geschäftsführende Zweite Chefingenieur ließ mich wissen, daß seine Gesellschaft keine Einzelfälle übernehme, sondern sich nur mit der Vertilgung größerer Mäusefamilien beschäftige. Da es mir unzweckmäßig erschien, bloß aus diesem Grund mehrere Generationen von Mäusen in unserem Wäscheschrank heranzuzüchten, erstand ich in einem nahe gelegenen Metallwarengeschäft eine Mausefalle.

Meine.Frau, eine Seele von einem Weib, protestierte zunächst gegen »das barbarische Werkzeug«, ließ sich dann aber von mir überzeugen, daß die Mausefalle ein heimisches Fabrikat war und sowieso nicht funktionieren würde. Unter der Wucht dieses Arguments fand sie sich sogar bereit, mir ein kleines Stückchen Käserinde zu überlassen. Wir stellten die Mausefalle in einer dunklen Ecke auf und konnten überhaupt nicht einschlafen. Die Nagegeräusche in meiner Schreibtischlade störten uns zu sehr.

Plötzlich senkte sich vollkommene Stille über unser Schlafgemach. Meine Frau riß die Augen vor Entsetzen weit auf, ich aber sprang mit lautem Triumphgeheul aus dem Bett. Gleich darauf war es kein Triumphgeheul mehr, sondern ein Wehgeheul: die Falle schnappte zu, und meine große Zehe verwandelte sich mit erstaunlicher Schnelle in eine Art Fleischsalat.

Sofort begann meine Frau mir kalte und warme Kompressen aufzulegen, ohne jedoch aus ihrer Erleichterung ein Hehl zu machen. Wie sich zeigte, hatte sie die ganze Zeit um das Leben Klein Mäuschens gezittert. »Auch eine Maus«, sagte sie wörtlich, »ist ein Geschöpf Gottes und tut schließlich nur, was die Natur sie zu tun heißt.«

Dann trat sie vorsichtig an die Mausefalle heran und machte die Stahlfedern unschädlich.

Was hieß die Natur das Mäuschen tun? Die Natur schickte es zu unseren Reisvorräten, die – wie ich einem morgendlichen Aufschrei meiner Gattin entnahm – vollkommen unbrauchbar geworden waren.

»Trag die Mausefalle zur Reparatur!« heischte meine Gattin. In der Metallwarenhandlung erfuhr ich, daß keine Ersatzteile für Mausefallen auf Lager wären. Der Geschäftsinhaber empfahl mir, eine neue Mausefalle zu kaufen, die Federn herauszunehmen und sie in die alte Mausefalle einzusetzen. Ich folgte seinem Rat, stellte das wieder instandgesetzte Mordinstrument in die Zimmerecke und markierte – ähnlich wie Hänsel und Gretel im finstern Wald – den Weg vom Kasten zur Falle mit kleinen Stückchen von Käse und Schinken aus Plastik.

Es wurde eine aufregende Nacht. Mäuschen hatte sich im Schreibtisch häuslich eingerichtet und verzehrte meine wichtigsten Manuskripte. Wenn es ab und zu eine kleine Erholungspause einlegte, hörten wir in der angespannten Stille unsere Herzen klopfen. Endlich konnte meine Frau nicht länger an sich halten:

»Wenn das arme kleine Ding in deiner Mörderfalle zugrunde geht, ist es aus zwischen uns«, schluchzte sie. »Was du da tust, ist grausam und unmenschlich.« Sie klang wie die langjährige Präsidentin des Tierschutzvereins von Askalon. »Es müßte ein Gesetz gegen

Mausefallen geben. Und die süßen langen Schnurrbarthaare, die das Tierchen hat . . .«

»Aber es läßt uns nicht schlafen«, wandte ich ein. »Es frißt unsere Wäsche auf und meine Manuskripte.«

Meine Frau schien mich überhaupt nicht gehört zu haben: »Vielleicht ist es ein Weibchen«, murmelte sie. »Vielleicht bekommt sie Junge . . .«

Das ständige Knabbern, das munter aus meiner Schreibtischlade kam, ließ nicht auf eine bevorstehende Geburt schließen.

Um es kurz zu machen: Als der Morgen dämmerte, schliefen wir endlich ein, und als wir am Vormittag erwachten, herrschte vollkommene Stille. In der Zimmerecke aber, dort, wo die Mausefalle stand . . . dort sahen wir . . . im Drahtgestell . . . etwas Kleines . . . etwas Graues . . .

»Mörder!«

Das war alles, was meine Frau mir zu sagen hatte. Seither haben wir kein Wort mehr miteinander gesprochen. Und was noch schlimmer ist: Wir können ohne das vertraute Knabbergeräusch nicht schlafen. Bekannten gegenüber ließ meine Frau durchblikken, dies sei die gerechte Strafe für meine Bestialität.

Gesucht: eine Maus.

WAS SCHENKEN WIR DER KINDERGÄRTNERIN?

Ich liege voll angekleidet auf meiner Couch. Hell leuchtet die Lampe über meinem Kopf. Und in diesem Kopf jagen einander die wildesten Gedanken.

Vor dem Spiegel am anderen Ende des Zimmers steht die beste Ehefrau von allen und krümmt sich. Das tut sie immer, wenn sie ganz genau sehen will, was sie tut. Jetzt eben bedeckt sie ihr Gesicht mit Bio-Placenta-Creme, diesem bekanntlich wunderbaren Mittel zur Regenerierung der Hautzellen. Ich wage nicht, sie zu stören. Noch nicht.

Für einen schöpferischen Menschen meines Alters kommt unweigerlich die Stunde der Selbsterkenntnis. Seit Wochen, nein, seit Monaten bedrängt mich ein grausames Dilemma. Ich kann es allein nicht bewältigen. Einen Schritt, der über den Rest meines Lebens entscheiden wird, muß ich mit jemandem besprechen. Wozu bin ich verheiratet? Ich gebe mir einen Ruck.

»Liebling«, sage ich mit ganz leicht zitternder Stimme, »ich möchte mich mit dir beraten. Bitte reg dich nicht auf und zieh keine voreiligen Schlüsse. Also. Seit einiger Zeit habe ich das Gefühl, daß ich am Ende meiner kreativen Laufbahn angelangt bin und daß es besser wäre, wenn ich mit dem Schreiben Schluß mache. Oder zumindest für ein paar Jahre pausiere. Was ich brauche, ist Ruhe, Sammlung und Erholung. Vielleicht geht's dann wieder . . . Hörst du mir zu?«

Die beste Ehefrau von allen bedeckt ihr Gesicht mit einer neuen Lage Bio-Placenta und schweigt.

»Was rätst du mir?« frage ich zaghaft und dennoch eindringlich. »Sag mir die Wahrheit.«

Jetzt wandte sich die Bio-Placenta-Konsumentin um, sah mich lange an und seufzte.

»Ephraim«, sagte sie, »wir müssen etwas für die Kindergärtnerin kaufen. Sie wird nach Beer-Schewa versetzt und fährt Ende der Woche weg. Es gehört sich, daß wir ihr ein Abschiedsgeschenk machen.«

Das war, genaugenommen, keine befriedigende Antwort auf meine Schicksalsfrage. Und darüber wollte ich Madame nicht im unklaren lassen.

»Warum hörst du mir eigentlich niemals zu, wenn ich etwas Wichtiges mit dir besprechen will?«

»Ich habe dir genau zugehört.« Über die Bio-Placenta-Schicht lagerte sich eine ziegelrote Salbe. »Ich kann mich an jedes Wort erinnern, das du gesagt hast.«

»Wirklich? Was habe ich gesagt?«

»Du hast gesagt: Warum hörst du mir eigentlich niemals zu, wenn ich etwas Wichtiges mit dir besprechen will.«

»Stimmt. Und warum hast du mir nicht geantwortet?«

»Weil ich nachdenken muß.«

Das hatte etwas für sich. Es war ja schließlich kein einfaches Problem, mit dem ich sie das konfrontierte.

»Glaubst du«, fragte ich vorsichtig, »daß es sich vielleicht nur um eine vorübergehende Lustlosigkeit handelt, die ich aus eigener Kraft überwinden könnte? Eine schöpferische Pause, sozusagen?«

Keine Antwort.

»Hast du mich verstanden?«

»Natürlich habe ich dich verstanden. Ich bin ja nicht taub. Eine schöpferische Pause aus eigener Kraft überwinden, oder so ähnlich.«

»Nun?«

»Wie wär's mit einer Bonbonniere?«

»Wieso?«

»Das schaut nach etwas aus und ist nicht übermäßig teuer, findest du nicht auch?«

»Ob ich's finde oder nicht – mein Problem ist damit nicht gelöst, Liebling. Wenn ich für ein bis zwei Jahre zu schreiben aufhöre, oder vielleicht für drei – womit soll ich mich dann beschäftigen? Womit soll ich das intellektuelle Vakuum ausfüllen, das in mir entstehen wird? Womit?«

Jetzt wurden die cremebedeckten Wangen einer Reihe von leichten Massage-Schlägen ausgesetzt, aus deren Rhythmus man mit ein wenig Phantasie das Wort »Kindergärtnerin« heraushören konnte.

»Hörst du mir zu?« fragte ich abermals.

»Frag mich nicht ununterbrochen, ob ich dir zuhöre. Natürlich höre ich dir zu. Was bleibt mir schon übrig. Du sprichst ja laut genug.«

»So. Und wovon habe ich jetzt gesprochen?«

»Von der Beschäftigung mit einem Vakuum, das du intellektuell ausfüllen willst.«

Sie hat tatsächlich jedes Wort behalten. Ich nahm den Faden wieder auf.

»Vielleicht sollte ich's mit der Malerei versuchen? Oder mit der Musik? Nur für den Anfang. Gewissermaßen als Übergang.«

»Ja, meinetwegen.«

»Ich könnte natürlich auch auf die Wasserbüffel-Jagd gehen oder Reißnägel sammeln.«

»Warum nicht.«

Ein Löschpapier über die ziegelrote Creme, künstliche Wimpern unter die Augenbrauen, und dann ihre Stimme:

»Man muß sich das genau überlegen.«

Darauf wußte ich nichts zu sagen.

»Warum sagst du nichts, Ephraim?«

»Meiner Meinung nach ist es höchste Zeit, die Leiche unserer Waschfrau auszugraben und sie in den grünen Koffer zu sperren . . . Hast du mir zugehört?«

»Die Leiche der Waschfrau in den Koffer sperren.«

So leicht ist meine kleine Frau nicht zu beeindrucken. Jetzt bürstet sie mit einem winzigen, selbstverständlich aus dem Ausland importieren Bürstchen ihre Augenlider. Ich unternehme einen letzten Versuch.

»Wenn sie kinderliebend ist, die Tiergärtnerin, dann könnten wir ihr ein Zebrapony schenken.«

Auch das ging ins Leere. Meine Gesprächspartnerin stellte das Radio an und sagte:

»Keine schlechte Idee.«

»In diesem Fall«, schloß ich ab, »laufe ich jetzt rasch hinüber zu meiner Lieblingskonkubine und bleibe über Nacht bei ihr.«

»Ja, ich höre. Du bleibst über Nacht.«

»Also?«

»Wenn ich's mir richtig überlege, kaufen wir ihr doch besser eine Vase als eine Bonbonniere. Kindergärtnerinnen lieben Blumen.«

Damit verfügte sich die beste Ehefrau von allen ins Badezimmer, um sich von der Gesichtspflege zu reinigen.

Ich werde wohl noch eine Zeitlang schreiben müssen.

Mit gewinnendem Lächeln wandte sich die beste Ehefrau von allen an mich:

»Höre, Liebling. Am nächsten Sonntag haben wir unsern Abituriententag.«

»Wer – wir?«

»Der Jahrgang meines Gymnasiums. Alle werden dort sein. Alle meine ehemaligen Schulkameradinnen und Schulkameraden. Wenn's dir nichts ausmacht, ich meine, wenn du Lust hast, dann komm bitte mit.«

»Es macht mir etwas aus. Ich habe keine Lust. Bitte geh allein.«

»Allein geh' ich nicht. Du willst mir nicht den kleinsten Gefallen tun. Es ist immer dasselbe.«

Ich ging mit.

Alle waren dort. Alle waren in bester Laune, wie immer bei solchen Gelegenheiten. Kaum erschien jemand neuer, wurde er von allen umarmt.

Auch meine Frau wurde von allen umarmt und wurde mit »Poppy« angesprochen.

Poppy! Man nannte sie Poppy! Und meine Frau fühlte sich auch noch wohl dabei. Ich hingegen fühlte mich so einsam und verlassen wie Israel im Weltsicherheitsrat.

Die fröhliche, wohlgelaunte, lärmende Unterhaltung hüpfte von einem Thema zum andern.

»Weiß jemand etwas von Tschaschik? Stimmt es, daß er beim Rigorosum durchgefallen ist? Würde mich nicht überraschen. Er war ja nie ein großes Kirchenlicht . . . Wie geht es Schoschka? Sie soll angeblich sehr gealtert sein . . . Nein, das liegt nicht nur daran, daß ihr zweiter Mann um zwanzig Jahre jünger ist als sie . . . Erinnerst du dich, wie sie damals das Stiegengeländer hinuntergerutscht ist, mit Stockler dicht hinter ihr? Und dann das nächtliche Bad mit Niki, bei Vollmond . . .«

Tosende Heiterkeit brach aus. Einige schlugen sich auf die Schenkel.

»Das ist noch gar nichts. Benny hat sie ja später mit Kugler zusammen erwischt . . . Wir wollten damals vor Lachen beinahe zerspringen . . . Besonders Sascha. Und ausgerechnet er mußte mit Bergers Mutter Charleston tanzen, der Idiot . . . Und die Sache mit Moskowitsch war auch nicht ohne . . .«

Ich kam mir vor wie ein Ausgestoßener.

Ich kannte keine Seele dieses Jahrgangs. Ich gehöre zum Jahrgang 1948 des Berzsenyi-Realgymnasiums in Budapest. Hat jemand etwas dagegen?

Eine schrille Frauenstimme lenkte die allgemeine Aufmerksamkeit auf sich:

»Was glaubt ihr, wen ich vor zwei Jahren in Paris gesehen habe? Klatschkes! Hat keinen guten Eindruck auf mich gemacht. Angeblich verkauft er ordinäre Ansichtskarten an ausländische Touristen. Er hatte ja schon immer eine etwas sonderbare Beziehung zur Kunst.«

»Na ja«, warf ich ein. »Von Klatschkes war ja schließlich nichts anderes zu erwarten.«

Jemand widersprach mir: »Immerhin wollte er ursprünglich Architekt werden.«

»Mach dich nicht lächerlich«, gab ich zurück. »Klatschkes und Architektur. Ich möchte wetten, daß er keine gerade Linie zusammenbringt.«

Mit dieser Bemerkung erntete ich einen hörbaren Lacherfolg, der mein Selbstvertrauen erheblich steigerte.

»Ist es wahr, daß Joske und Nina geheiratet haben?« fragte mich mein Nebenmann. »Ich kann mir das gar nicht vorstellen. Joske und *Nina*!«

»Ich kann mir nicht einmal vorstellen, wie sie auf der Hochzeit ausgesehen haben«, bemerkte ich und rief damit neuerliche Heiterkeit hervor. »Man braucht sich ja nur zu erinnern, wie Nina damals ihren Büstenhalter verloren hat. Und Joske mit seinen Kaninchen! Immer, wenn ich einen Krautkopf sehe, muß ich an Joske denken . . .« Das war mein größter Lacherfolg bisher. Das Gelächter wollte kein Ende nehmen.

Von da an gab ich die Zügel der Konversation nicht mehr aus der Hand. Immer neue Erinnerungen an die guten alten Zeiten kramte ich hervor, zum jauchzenden Vergnügen der Anwesenden. Als besonders wirksam erwies sich die Geschichte, wie Sascha seinen alten schäbigen Wagen zweimal verkauft hatte und was Berger in seinem Bett fand, als er von einer nächtlichen Kegelpartie mit Moskowitsch zurückkam . . .

Auf dem Heimweg blickte die beste Ehefrau von allen bewundernd zu mir auf: »Du hast die ganze Gesellschaft in deinen Bann geschlagen. Ich wußte gar nicht, daß du über solchen Esprit verfügst.«

»Das liegt an dir«, entgegnete ich mit nachsichtigem Lächeln. »Du warst ja nie eine gute Menschenkennerin, Poppy!«

LES PARENTS TERRIBLES

Als wir uns einmal zu einer Erholungsreise entschlossen hatten, meine Frau und ich, machten wir uns an die Ausarbeitung eines detaillierten Reiseplans. Alles klappte, nur ein einziges Problem blieb offen: Was werden die Kinder sagen? Nun, Rafi ist schon ein großer Junge, mit dem man vernünftig reden kann. Er begreift, daß Mami und Papi vom König der Schweiz eingeladen wurden und daß man einem König nicht nein sagen darf, sonst wird er wütend. Das wäre also in Ordnung. Aber was machen wir mit Amir? In seinem Alter ist das Kleinkind bekanntlich am heftigsten an seine Eltern attachiert. Wir wissen von Fällen, in denen verantwortungslose Eltern ihr Kind für zwei Wochen allein ließen – und das arme Wurm trug eine Unzahl von Komplexen davon, die schließlich zu seinem völligen Versagen im Geographieunterricht führten. Ein kleines Mädchen in Natanja soll auf diese Art sogar zur Linkshänderin geworden sein.
Ich besprach das Problem beim Mittagessen mit meiner Frau, der besten Ehefrau von allen. Aber als wir die ersten französischen Vokabeln wechselten, legte sich über das Antlitz unseres jüngsten Sohnes ein Ausdruck unbeschreiblicher, herzzerreißender Trauer. Aus großen Augen sah er uns an und fragte mit schwacher Stimme:
»Walum? Walum?«
Das Kind hatte etwas gemerkt, kein Zweifel. Das Kind war aus dem inneren Gleichgewicht geraten. Er hängt sehr an uns, der kleine Amir, ja, das tut er.
Ein kurzer Austausch stummer Blicke genügte meiner Frau und mir, um uns den Plan einer Auslandsreise sofort aufgeben zu lassen. Es gibt eine Menge Ausland, aber es gibt nur einen Amir. Wir fahren nicht, und damit gut. Wozu auch? Wie könnte uns Paris gefallen, wenn wir ununterbrochen daran denken müßten, daß Amir inzwischen zu Hause sitzt und mit der linken Hand zu schreiben beginnt? Man hält sich Kinder nicht zum Vergnügen, wie Blumen oder Zebras. Kinder zu haben, ist eine Berufung, eine heilige Pflicht, ein Lebensinhalt. Wenn man seinen Kindern keine Opfer bringen kann, dann läßt man besser alles bleiben und geht auf eine Erholungsreise.

Das war genau unser Fall. Wir hatten uns sehr auf diese Erholungsreise gefreut, wir brauchten sie, physisch und geistig, und es wäre uns sehr schwergefallen, auf sie zu verzichten. Wir wollten ins Ausland fahren.

Aber was tun wir mit Amir, dem traurigen, dem großäugigen Amir?

Wir berieten uns mit Frau Golda Arje, unserer Nachbarin. Ihr Mann ist Verkehrspilot, und sie bekommt zweimal im Jahr Freiflugtickets. Wenn wir sie richtig verstanden haben, bringt sie ihren Kindern die Nachricht jeweils stufenweise bei, beschreibt ihnen die Schönheiten der Länder, die sie überfliegen wird, und kommt mit vielen Fotos nach Hause. So nimmt das Kind an der Freude der Eltern teil, ja es hat beinahe das Gefühl, die Reise miterlebt zu haben. Ein klein wenig Behutsamkeit und Verständnis, mehr braucht's nicht. Noch vor hundert Jahren wären Frau Golda Arjes Kinder, wenn man ihnen gesagt hätte, daß ihre Mutti nach Amerika geflogen ist, in hysterische Krämpfe verfallen oder wären Taschendiebe geworden. Heute, dank der Psychoanalyse und dem internationalen Flugverkehr, finden sie sich mühelos mit dem Unvermeidlichen ab.

Wir setzten uns mit Amir zusammen. Wir wollten offen mit ihm reden, von Mann zu Mann. »Weißt du, Amirlein«, begann meine Frau, »es gibt so hohe Berge in −«

»Nicht wegfahren!« Amir stieß einen schrillen Schrei aus. »Mami, Papi nicht wegfahren! Amir nicht allein lassen! Keine Berge! Nicht fahren!«

Tränen strömten über seine zarten Wangen, angstbebend preßte sich sein kleiner Kinderkörper gegen meine Knie.

»Wir fahren nicht weg!« Beinahe gleichzeitig sprachen wir beide es aus, gefaßt, tröstend, endgültig. Die Schönheiten der Schweiz und Italiens zusammengenommen rechtfertigen keine kleinste Träne in unseres Lieblings blauen Augen. Sein Lächeln gilt uns mehr als jedes Alpenglühen. Wir bleiben zu Hause. Wenn das Kind etwas älter ist, sechzehn oder zwanzig, wird man weitersehen. Damit schien das Problem gelöst.

Leider trat eine unvorhergesehene Komplikation auf: Am nächsten Morgen beschlossen wir, trotzdem zu fahren. Wir lieben unseren Sohn Amir, wir lieben ihn über alles, aber wir lieben auch Auslandsreisen sehr. Wir werden uns von dem kleinen Unhold nicht um jedes Vergnügen bringen lassen.

In unserem Bekanntenkreis gibt es eine geschulte Kinderpsychologin. An sie wandten wir uns und legten ihr die delikate Situation genau auseinander.

»Ihr habt einen schweren Fehler gemacht«, bekamen wir zu hören. »Man darf ein Kind nicht anlügen, sonst trägt es seelischen Schaden davon. Ihr müßt ihm die Wahrheit sagen. Und unter gar keinen Umständen dürft ihr heimlich die Koffer packen. Im Gegenteil, der Kleine muß euch dabei zuschauen. Er darf nicht das Gefühl haben, daß ihr ihm davonlaufen wollt . . .«

Zu Hause angekommen, holten wir die beiden großen Koffer vom Dachboden, klappten sie auf und riefen Amir ins Zimmer.

»Amir«, sagte ich geradeheraus und mit klarer, kräftiger Stimme, »Mami und Papi –«

»Nicht wegfahren!« brüllte Amir. »Amir liebt Mami und Papi! Amir nicht ohne Mami und Papi lassen! Nicht wegfahren!«

Das Kind war ein einziges, großes Zittern. Seine Augen schwammen in Tränen, seine Nase tropfte, seine Arme flatterten in hilflosem Schrecken durch die Luft. Er stand unmittelbar vor einem nie wiedergutzumachenden Schock, der kleine Amir. Nein, das durfte nicht geschehen. Wir nahmen ihn in die Arme, wir herzten und kosten ihn: »Mami und Papi fahren nicht weg . . . warum glaubt Amir, daß Mami und Papi wegfahren . . . Mami und Papi haben Koffer heruntergenommen und nachgeschaut, ob vielleicht Spielzeug für Amir drinnen . . . Mami und Papi bleiben zu Hause . . . immer . . . ganzes Leben . . . nie wegfahren . . . immer nur Amir . . . nichts als Amir . . . Europa pfui . . .«

Aber diesmal war Amirs seelische Erschütterung schon zu groß. Immer wieder klammerte er sich an mich, in jedem neuen Aufschluchzen lag der Weltschmerz von Generationen. Wir selbst waren nahe daran, in Tränen auszubrechen. Was hatten wir da angerichtet, um Himmels willen? Was ist in uns gefahren, daß wir diese kleine, zarte Kinderseele so brutal verwunden konnten?

»Steh nicht herum wie ein Idiot!« ermahnte mich meine Frau. »Bring ihm einen Kaugummi!«

»Kaugimmi! Papi blingt Amir Kaugummi aus Eulopa?«

»Ja, mein Liebling, ja, natürlich. Kaugummi. Viel, viel Kaugummi. Mit Streifen.«

Das Kind weint nicht mehr. Das Kind strahlt übers ganze Gesicht:

»Kaugummi mit Stleifen, Kaugummi mit Stleifen! Papi Amir

Kaugummi aus Eulopa holen! Papi wegfahren! Papi schnell wegfahren! Viel Kaugummi für Amir!«

Das Kind hüpft durchs Zimmer, das Kind klatscht in die Hände, das Kind ist ein Sinnbild der Lebensfreude und des Glücks: »Papi wegfahren! Mami wegfahren! Beide wegfahren! Schnell, schnell! Walum Papi noch hier! Walum, walum . . .«

Und jetzt stürzten ihm wieder die Tränen aus den Augen, sein kleiner Körper bebte, seine Hände krampften sich am Koffergriff fest, mit seinen schwachen Kräften wollte er den Koffer zu mir heranziehen.

»Wir fahren ja, Amir, kleiner Liebling«, beruhigte ich ihn. »Wir fahren sehr bald.«

»Nicht bald! Jetzt gleich! Mami und Papi jetzt gleich wegfahren!«

Das war der Grund, warum wir unsere Abreise ein wenig vorverlegen mußten. Die letzten Tage waren recht mühsam. Der Kleine gab uns allerlei zu schaffen. In der Nacht weckte er uns durchschnittlich dreimal aus dem Schlaf, um uns zu fragen, warum wir noch hier sind und wann wir endlich fahren. Er hängt sehr an uns, Klein Amir, sehr. Wir werden ihm viele gestreifte Päckchen Kaugummi mitbringen. Auch die Kinderpsychologin bekommt ein paar Päckchen.

EIN PÄDAGOGISCHER SIEG

Als wir in Rom das Flugzeug zur Heimreise bestiegen, war uns seltsam unbehaglich zumute. Etwas lag in der Luft. Wir hätten nicht zu sagen vermocht, was es war – aber es lag.

»Die Pilotenkanzel gefällt mir nicht«, murmelte die beste Ehefrau von allen.

Ich schwieg.

»Und dieses merkwürdige Motorengeräusch«, äußerte sie einige Minuten später, während das Flugzeug die Piste entlangrollte.

Auch mir schien etwas an dem Geräusch nicht ganz geheuer. Um die Nervosität meiner Frau nicht noch zu steigern, blieb ich bei meinem Schweigen und betete stumm in mich hinein.

Das Flugzeug hob sich vom Boden ab. Es brauchte beunruhigend lange, ehe es an Höhe gewann.

Was war das nur. Was, um des Himmels willen . . .

»Ich hab's!« rief meine Frau plötzlich aus. »Der gestreifte Kaugummi! Wir haben den Kaugummi vergessen!«

Bleicher Schrecken durchfuhr mich. Ich versuchte das verzweifelte Bündel Mensch neben mir zu trösten.

»Vielleicht«, stotterte ich, »vielleicht erinnert sich Amir nicht mehr . . .«

Aber ich glaubte selbst nicht daran.

Während der kurzen Zwischenlandung in Athen eilten wir von Kiosk zu Kiosk, um Kaugummi zu kaufen. Es gab keinen. Das Kaugummi-Ähnlichste, das man uns anbot, war eine zwei Meter große Stoffgiraffe. Wir nahmen sie, und dazu noch eine Miniaturplastik der Akropolis, eine Puppe in griechischem Schottenrock sowie ein Ölgemälde der Jungfrau mit dem Kinde.

Zwei Stunden später landeten wir auf dem Flughafen von Tel Aviv.

Als wir von fern die beiden kleinen Knaben erspähten, die uns hinter der Sperre erwartungsvoll entgegenblickten, begannen unsere Herzen wild zu klopfen. Mit Rafi würde es keine Schwierigkeiten geben, er war jetzt schon alt genug, er war ein vernünftiges Kind, außerdem hatten wir ihm sicherheitshalber einen Helikopter aus Schokolade und ein Luftdruckgewehr gekauft, ganz zu schweigen von der elektrischen Eisenbahn und dem gefütterten

Wintermantel (der eigentlich nicht zählte); der Billardtisch und das Motorboot würden nachkommen. Nein, um Rafi brauchten wir uns nicht zu sorgen. Aber wie stand es mit Amir?

Wir hoben ihn hoch, wir herzten ihn, wir setzten ihn behutsam wieder zu Boden. Und während ihm seine Mutter vorsorglich über die Locken strich, fragte sein Vater:

»Na? Haben wir die Stoffgiraffe mitgebracht oder nicht?«

Amir gab keine Antwort. Er sah zuerst die Giraffe an und dann seine Eltern, mit dem gleichen leeren Blick, als wären wir ihm völlig aus dem Gedächtnis entschwunden. Für ein kleines Kind sind drei Wochen eine sehr lange Zeit. Vielleicht erkannte er uns nicht. Und von Menschen, die man nicht kennt, wird man wohl schwerlich gestreiften Kaugummi erwarten können.

Im Auto saß er stumm auf den Knien seiner Großmutter und starrte vor sich hin. Erst als die Stadt Tel Aviv in Sicht kam, glomm in seinen Augen ein erstes Anzeichen von Familienzugehörigkeit auf.

»Wo ist Kaugummi?« fragte er.

Ich brachte kein Wort hervor. Auch die beste Ehefrau von allen beschränkte sich auf ein unartikuliertes Seufzen, das nur langsam die Gestalt halbwegs zusammenhängender Worte annahm:

»Der Onkel Doktor . . . weißt du, Amirlein . . . der Onkel Doktor sagt, gestreifter Kaugummi ist schlecht fürs Bauchi . . . ungesund, weißt du . . .«

Amirs Antwort erfolgte so plötzlich und in so übergangsloser Lautstärke, daß der Fahrer den Wagen verriß.

»Onkel Doktor blöd, Onkel Doktor ekelhaft!« brüllte er. »Papi und Mami pfui. Amir will Kaugummi haben. Gestreiften Kaugummi.«

Jetzt mischte sich die liebe Oma ein: »Wirklich, warum habt ihr ihm keinen Kaugummi mitgebracht?«

Das veranlaßte Amir, noch höhere Lautstärke aufzudrehen. In solchen Augenblicken ist er gar nicht so hübsch wie sonst. Seine Nase läuft purpurrot an, und rote Haare hat er ja sowieso.

Auch die zu Hause ergriffenen Gegenmaßnahmen fruchteten nichts. Wir setzten die elektrische Eisenbahn in Betrieb, verschiedenfarbige Luftballons stiegen zur Decke, die beste Ehefrau von allen blies auf einer römischen Trompete, ich selbst schlug ein paar Purzelbäume und bediente dabei die griechische Trommel. Amir sah mir so lange reglos zu, bis ich aufhörte.

»Na, Amir, mein Sohn? Womit werden wir denn die Giraffe füttern?« fragte ich.

»Mit Kaugummi«, antwortete Amir, mein Sohn. »Mit gestreiftem Kaugummi.«

Man mußte die Sache anders angehen, man mußte dem Kind die Wahrheit sagen, man mußte ihm gestehen, daß wir den Kaugummi vergessen hatten, ganz einfach vergessen.

»Papi hatte auf dieser Reise sehr viel zu tun, Amir, und hatte keine Zeit, Kaugummi zu kaufen«, begann ich.

Amirs Gesicht verfärbte sich blau, und auch das ist kein schöner Anblick: ein blaues Gesicht unter roten Haaren. Ich wandte mich ein wenig seitwärts:

»Aber der König der Schweiz hat mir fünf Kilo Kaugummi für dich mitgegeben. Sie stehen im Keller. Gestreifter Kaugummi für Amir in einem gestreiften Karton. Aber du darfst nicht hinuntergehen, hörst du? Sonst kommen die Krokodile und fressen dich. Krokodile sind ganz verrückt nach Kaugummi. Wenn sie erfahren, daß im Keller so viel Kaugummi für Amir liegt, fliegen sie sofort los – moderne Krokodile haben Propeller, weißt du – und besetzen zuerst den Keller, dann kommen sie ins Kinderzimmer und schnappen nach Amir, haff-haff-haff, und reißen alle Schubladen auf und suchen überall nach Kaugummi. Willst du, daß Krokodile ins Haus kommen?«

»Ja!« jauchzte Amir. »Gestreifte Krokodile. Wo sind die Krokodile? Wo?«

Mitten ins Scheitern meines pädagogischen Umgehungsmanövers kam die beste Ehefrau von allen aus dem Nachbarhaus zurück, wo sie vergebens um Kaugummi gebettelt hatte. Und die Läden waren bereits geschlossen. Unheilbarer Schaden drohte dem Seelenleben unseres Söhnchens. Wir haben ihm den kostbarsten Besitz entrissen: das Vertrauen zum eigenen Fleisch und Blut. Aus solchem Stoff werden Tragödien gemacht. Vater und Sohn leben jahrhundertelang Seite an Seite und finden keine Berührung miteinander.

»Kaugummi!« brüllte Amir. »Will gestreiften Kaugummi!«

Großmutti hat den Inhaber des benachbarten Kaufladens aus dem Schlaf geweckt, aber der benachbarte Kaufladen führt keinen gestreiften Kaugummi, sondern nur ganz gewöhnlichen. Ich verschwinde mit dem gewöhnlichen Kaugummi in die Küche und mache mich daran, mit Wasserfarben die erforderlichen Streifen aufzumalen. Die beste Ehefrau von allen versucht mir lautstark klarzumachen, wie gefährlich das ist. Rafi hat die griechische Trommel entdeckt und bedient sie unablässig. Die Wasserfarben halten nicht und laufen vom Kaugummi hinunter. Im Nebenzimmer explodiert ein Luftballon mit lautem Knall. Großmutti telefoniert um den Doktor. Amir erscheint mit geschwollenen Augen im blauen Gesicht unter den roten Haaren und heult:

»Papi hat Amir Kaugummi versprochen! Kaugummi mit Streifen!«

Jetzt reicht's mir. Ich weiß nicht, was da so plötzlich in mich gefahren ist – aber im nächsten Augenblick schleudere ich den Kasten mit den Wasserfarben an die Wand, und aus meiner Kehle dringt ein wildes Aufbrüllen: »Ich habe keinen Kaugummi! Und ich werde auch keinen haben! Zum Teufel mit den verdammten Streifen! Noch ein Wort, du niederträchtiger Balg, und ich breche dir alle Knochen im Leib! Hinaus! Marsch hinaus, bevor ich meine Ruhe verliere!«

Großmutti und ihre Tochter sind in Ohnmacht gefallen. Auch ich fühle mich einem Zusammenbruch nahe. Was ist mir geschehen? Was ist mir eingefallen?

Noch nie im Leben habe ich die Stimme gegen mein Kind erhoben. Und gerade jetzt, gerade da wir von einer Reise zurückgekommen sind und ihm die schwerste Enttäuschung seines kleinen Lebens verursacht haben, gerade jetzt werfe ich meine Erziehungsgrundsätze über den Haufen? Wird der arme kleine Amir diesen Schock jemals überwinden?

Es scheint so.

Amir hat nach dem Kaugummi gegriffen, den ich in der fühllosen Hand behalten habe, steckt ihn in den Mund und kaut genießerisch.

»Mhm. Schmeckt fein. Guter Kaugummi. Streifen pfui.« Was für ein hübsches Kind er doch ist, mit dem hellen Gesicht unter den dunkelblonden Haaren.

DIE KRAFTPROBE

Wenn Sie dieser Tage zufällig durch unsere Gegend kommen und auf der Straße zwei oder mehrere in hitzigem Gespräch begriffene Menschen sehen, können Sie jeden Betrag darauf wetten, daß über das derzeit wichtigste Thema gesprochen wird, nämlich: »Geht Amir Kishon in den Kindergarten oder nicht?«

Die Quote steht 3:1 für »nicht«.

Wir bekommen im Durchschnitt zehn Anrufe täglich, alle mit der Frage: »Bleibt er zu Hause?«

Amir bleibt.

Das war nicht immer so. Als wir ihn zum erstenmal in den Kindergarten brachten, schien er sich dort ungemein wohl zu fühlen, fand sofort Anschluß an die anderen Rangen, tollte fröhlich mit ihnen umher, baute Plastikburgen und tanzte zu den Weisen einer Ziehharmonika. Aber schon am nächsten Morgen besann er sich auf sich selbst:

»Ich will nicht in den Kindergarten gehen«, plärrte er. »Bitte nicht! Papi, Mami, bitte keinen Kindergarten! Nein, nein, nein!«

Wir fragten ihn nach den Gründen des plötzlichen Umschwungs – gestern hätte es ihm doch so gut gefallen, warum wollte er plötzlich nicht mehr, was ist denn los? Amir ließ sich auf keine Diskussion ein. Er wollte ganz einfach nicht, er weigerte sich, er war bereit, überall hinzugehen, nur nicht in den Kindergarten. Und da er in der Kunst des Heulens meisterhaft ausgebildet ist, setzte er auch diesmal seinen Willen durch.

Das Ehepaar Seelig bemängelte unverhohlen unsere Schwäche, und als wir Amir – der ja schließlich uns gehörte und nicht den Seeligs – in Schutz zu nehmen versuchten, bekamen wir's mit Erna Seelig zu tun: »Lauter Unfug«, keifte sie. »Man darf einem kleinen Kind nicht immer nachgeben. Man muß es vor vollendete Tatsachen stellen. Nehmen Sie den Buben bei der Hand, liefern Sie ihn im Kindergarten ab, und fertig.«

Wir konnten nicht umhin, den Mut dieser energischen Person zu bewundern. Endlich ein Mensch, der sich von Kindern nichts vorschreiben läßt! Wirklich schade, daß Erna Seelig keine Kinder hat.

Mit ihrer Hilfe zerrten wir Amir in den Wagen und unternahmen eine Spazierfahrt, die zufällig vor dem Eingang des Kindergartens endete. Amir begann sofort und im höchsten Diskant zu heulen, aber das kümmerte uns nicht. Wir fuhren ab. Der Fratz soll nur ruhig heulen. Das kräftigt die Stimmbänder.

Nach einer Weile, vielleicht eine volle Minute später, wurden wir trotzdem nachdenklich. In unseren Herzen stieg die bange Frage auf, ob er denn wohl noch immer weinte.

Wir fuhren zum Kindergarten zurück. Amir hing innen am Gitter, die kleinen Händchen ins Drahtgeflecht verklammert, den kleinen Körper von konvulsivischem Schluchzen geschüttelt, aus dem die Rufe »Mami« und »Papi« klar hervordrangen.

Die Politik der Stärke hatte kläglich versagt. Gewalt erzeugt Gewalt, das ist eine altbekannte Tatsache. Eine Stunde später wußte man in der ganzen Nachbarschaft, daß Amir zu Hause war und nicht im Kindergarten.

Und dann, wie immer im Leben, trat eine Wendung ein. Wir verbrachten den Abend bei den Birnbaums, zwei netten Leuten gesetzten Alters, keine außergewöhnlichen Erscheinungen, aber sehr sympathisch. Im Lauf der Unterhaltung kamen wir auch auf Amir und das Kindergartenproblem zu sprechen und schlossen unsern Bericht mit den Worten:

»Kurz und gut – er will nicht.«

»Natürlich nicht«, sagte Frau Birnbaum, eine sehr kultivierte, feingebildete Dame. »Sie dürfen ihm Ihren Willen nicht aufnötigen, als wäre er ein dressierter Delphin. So kommt man kleinen Kindern nicht bei. Auch unser Gabi wollte anfangs nicht in den Kindergarten gehen, aber es wäre uns nie eingefallen, ihn zu zwingen. Hätten wir das getan, dann wäre aus seiner Abneigung gegen den Kindergarten späterhin eine Abneigung gegen die Schule geworden und schließlich gegen das Lernen überhaupt. Man muß Geduld haben. Zugegeben, das hat gewisse Schwierigkeiten im Haushalt zur Folge, es kostet auch Zeit und Nerven, aber die seelische Ausgeglichenheit eines Kindes ist jede Mühe wert.«

Meine Frau und ich wurden gelb vor Neid:

»Und hat Ihr System Erfolg?«

»Das will ich meinen! Wir fragen Gabi von Zeit zu Zeit ganz beiläufig: ›Gabi, wie wär's morgen mit dem Kindergarten?‹ Und das ist alles. Wenn er nein sagt, dann bleibt's eben beim Nein. Früher oder später wird er schon einsehen, daß man nur sein Bestes will.«

In diesem Augenblick steckte Gabi den Kopf durch die Türe: »Papi, bring mich ins Bett.«

»Komm doch erst einmal her, Gabi«, forderte ihn mit freundlichem Lächeln Herr Birnbaum auf. »Und gib unseren Freunden die Hand. Auch sie haben einen kleinen Sohn. Er heißt Amir.«

»Ja«, sagte Gabi. »Bring mich ins Bett.«

»Gleich.«

»Sofort.«

»Erst sei ein lieber Junge und begrüße unsere Gäste.«

Gabi reichte mir flüchtig die Hand. Er war ein hübscher Kerl, hochgewachsen und wohlgebaut, von frappanter Ähnlichkeit mit Rock Hudson, allerdings etwas älter.

»Jetzt müssen Sie uns entschuldigen«, sagte Vater Birnbaum und verließ mit seinem Sohn das Zimmer.

»Gabi!« rief Frau Birnbaum hinterher. »Möchtest du morgen nicht in den Kindergarten gehen?«

»Nein.«

»Ganz wie du willst, Liebling. Gute Nacht.«

Wir blieben mit der Mutter allein.

»Es stört mich nicht im geringsten, daß er nicht in den Kindergarten gehen will«, sagte sie. »Er ist ohnehin schon zu alt dafür. Nächstes Jahr wird er zum Militärdienst einberufen. Was soll er da noch unter den Kleinchen?«

Ein wenig betreten verließen wir das Birnbaumsche Haus. Bei allem Respekt vor den erzieherischen Methoden unserer Gastgeber schien uns das Resultat denn doch ein wenig anfechtbar.

Ich wurde nachdenklich. Immer dieser dumme Kindergarten. Was der nur für Komplikationen verursacht! Als wäre das Leben nicht schon schwer genug. Wo steht denn eigentlich geschrieben, daß es Kindergärten geben muß? Bin ich als kleines Kind vielleicht in den Kindergarten gegangen?

Jawohl. Also?

Wir mußten den Alpdruck endlich loswerden. Am nächsten Tag suchten wir unsern Hausarzt auf, um uns mit ihm zu beraten.

Er teilte unsere Bedenken und fügte abschließend hinzu: »Außerdem ist es gar nicht ungefährlich, den Kleinen jetzt in den Kindergarten zu schicken. Wir haben den Erreger dieser neuen Sommerkrankheit noch nicht entdeckt – aber es besteht größte Infektionsgefahr. Besonders wenn viele Kinder beisammen sind.«

Das war die Entscheidung. Das war die Erlösung. Zu Hause angelangt, machten wir Amir sofort mit der neuen Sachlage vertraut:
»Du hast Glück, Amirlein. Der Onkel Doktor erlaubt nicht, daß
du in den Kindergarten gehst, weil du dir dort alle möglichen
Krankheiten holen könntest. Die Bazillen schwirren nur so in der
Luft herum. Das wär's. Den Kindergarten sind wir los.«
Seither gibt es mit Amir keine Schwierigkeiten mehr. Er sitzt den
ganzen Tag im Kindergarten und wartet auf die Bazillen. Und er
würde um keinen Preis auch nur eine Minute früher nach Hause
gehen, als er muß.
Wenn unsere Nachbarn uns fragen, wie wir das zustande gebracht
haben, antworten wir mit undurchdringlichem Lächeln:
»Durch medizinische Methoden.«

Das Wunderkind

Ich liebe es, auf Parkbänken zu sitzen, aber nur im Winter. Denn da sich während der kalten Monate nur ein Irrsinniger ins Freie setzen würde, kann ich in Ruhe meine Kreuzworträtsel und Quizfragen lösen und vielleicht ein wertvolles Buch gewinnen, ohne daß mich jemand stört. So saß ich auch gestern wieder im Dezembersonnenschein auf meiner Bank und stellte mit Genugtuung fest, daß mir kein Gespräch drohte.

Gerade als ich dabei war, 7 links senkrecht einzutragen, näherte sich von rechts waagrecht eine kümmerliche, farblose Erscheinung männlichen Geschlechts, blieb stehen, wandte sich zu mir und fragte:

»Ist hier frei?«

Mein »Ja« war kurz und alles eher als einladend, aber das hinderte den Störenfried nicht, sich auf das Ende der Bank niederzulassen. Ich vertiefte mich demonstrativ in meine senkrechten und waagrechten Probleme, wobei ich mittels gerunzelter Brauen anzudeuten versuchte, daß ich in meiner verantwortungsvollen Arbeit nicht gestört zu werden wünschte und daß niemand mich fragen sollte, ob ich diesen Park öfter besuche, ob ich verheiratet bin, was ich monatlich verdiene und was ich von unserer Regierung halte.

Der Mann neben mir schien meine isolationistischen Tendenzen zu wittern. Er übersprang die einleitenden Floskeln und ging sofort aufs Ganze. Mit einer einzigen, offenkundig routinierten Handbewegung schob er mir ein halbes Dutzend Fotos von Postkartengröße, einen Knaben darstellend, unter die Nase:

»Eytan wird übermorgen sechs Jahre«, gab mir der Begleittext bekannt.

Pflichtschuldig überflog ich die sechs Bilder, lächelte milde über das eine, auf dem Eytan die Zunge herausstreckte, und retournierte die mobile Ausstellung an den Besitzer. Dann vertiefte ich mich wieder in mein Kreuzworträtsel. Aber ich spürte in jeder Faser meines Nervensystems, daß ich dem Schicksal nicht entrinnen könnte. Und da kam es auch schon:

»Ganz wie Sie wollen«, sagte der Mann und rief dem in einiger Entfernung herumtollenden Knaben durch den Handtrichter zu: »Eytan, komm schnell her. Der Herr möchte mit dir sprechen.«

Eytan kam widerwillig herangeschlurft und blieb vor der Bank stehen, die Hände mürrisch in den Hosentaschen. Sein Vater sah ihn mit mildem Tadel an:

»Nun? Was sagt man, wenn man einen fremden Herrn kennenlernt?«

Eytan, ohne mich auch nur eines Blickes zu würdigen, antwortete: »Ich habe Hunger.«

»Das Kind lügt nicht«, wandte sich der Vater erklärend an mich. »Wenn Eytan sagt, daß er Hunger hat, dann hat er Hunger, da können Sie Gift darauf nehmen.«

Ich wies diese Zumutung energisch zurück und fragte den stolzen Erzeuger, warum er mir die Fotos gezeigt hätte, obwohl das Modell in Fleisch und Blut zugegen war.

»Die Fotos sind ähnlicher«, lautete die väterliche Antwort. »Eytan ist in der letzten Zeit ein wenig abgemagert.«

Ich brummte etwas Unverständliches und schickte mich an, die Bank und sicherheitshalber auch den Park zu verlassen. Mein Nachbar erstickte diese Absicht im Keim. »Das Kind hat ein phantastisches Talent für Mathematik«, raunte er mir hinter vorgehaltener Hand aus dem Mundwinkel zu, so daß Eytan nichts davon hören und sich nichts darauf einbilden konnte. »Er geht erst seit ein paar Monaten in die Schule, aber der Lehrer hält ihn schon jetzt für ein Wunderkind . . . Eytan, sag dem Herrn eine Zahl.«

»1032«, sagte Eytan.

»Eine andre. Eine höhere.«

»6527.«

»Also bitte. Haben Sie so etwas schon erlebt? Im Handumdrehen! Und dabei ist er erst sieben Jahre alt! Unglaublich, wo er diese hohen Zahlen hernimmt. Und das ist noch gar nichts. Eytan, sag dem Herrn, er soll an eine Zahl denken!«

»Nein«, sagte Eytan.

»Eytaaan! Du wirst den Herrn sofort bitten, an eine Zahl zu denken!«

»Denken Sie an eine Zahl«, grunzte Eytan gelangweilt.

Jetzt machte mein Nachbar wieder von der vorgehaltenen Hand und vom Mundwinkel Gebrauch:

»Drei! Bitte denken Sie an drei!« Dann hob er den Finger und wandte sich dem Gegenstand seines Stolzes zu: »Und jetzt werden wir den Herrn bitten, die Zahl, die er sich gedacht hat, mit zehn zu multiplizieren, nicht wahr, Eytan?«

»Meinetwegen.«

»Was heißt ›meinetwegen‹? Sprich anständig und in ganzen Sätzen.«

»Multiplizieren Sie die Zahl, die Sie sich gedacht haben, mit zehn«, leierte Eytan den vorgeschriebenen Text herunter.

»Weiter«, ermahnte ihn sein Vater.

»Dann dividieren Sie die neue Zahl durch fünf, halbieren Sie die Zahl, die Sie dann bekommen – und das Resultat ist die Zahl, an die Sie zuerst gedacht haben.«

»Stimmt's?« fragte mein Nachbar zitternd vor Aufregung; und als ich bejahend nickte, kannte seine Freude keine Grenzen. »Aber wir sind noch nicht fertig! Eytan, sag jetzt dem Herrn, an welche Zahl er gedacht hat.«

»Weiß ich nicht.«

»Eytan!«

»Sieben?« fragte das Wunderkind.

»Nein!«

»Eins?«

»Auch nicht!« brüllte der enttäuschte Papa. »Konzentrier dich!«

»Ich konzentrier' mich ja.« Der Kleine begann zu weinen. »Aber woher soll ich wissen, an welche Zahl ein fremder Mann denkt?«

Mit der Selbstbeherrschung des Vaters war es vorbei:

»Drei!« Seine Stimme überschlug sich. »Drei, drei, drei! Wie oft soll ich dir noch sagen, daß die Leute immer an drei denken?!«

»Und wennschon«, quakte das gepeinigte Kind. »Was gehen mich Zahlen an? Immer nur Zahlen, immer nur Zahlen! Wer braucht das?«

Aber da hatte mein Nachbar ihn schon am Kragen und beutelte ihn in erhabenem Vaterzorn.

»Was sagen Sie dazu?« keuchte er unter Verzicht auf Mundwinkel und vorgehaltene Hand. »Haben Sie schon jemals ein achtjähriges Kind gesehen, das sich nicht einmal eine einzige Ziffer merken kann? Gott hat mich hart geschlagen . . .«

Damit machte er sich davon, den heulenden Eytan hinter sich herziehend. Ich sah ihm nach, bis seine gramgebeugte Gestalt im winterlichen Mittagssonnenschein verschwand.

Welch ein Fluch für einen Vater, wenn er erkennen muß, daß er dem eigenen Sohn rein gar nichts von seinem Genius vererbt hat.

ROTE HAARE SIND ANSICHTSSACHE

Die wahre Sachlage ist mit der Bezeichnung »rot« nur unzuläng-
lich charakterisiert. Amir ist nicht eigentlich rot – er ist purpur-
haarig. Als wäre auf seinem Schädel ein Feuer ausgebrochen. Man
findet dieses Rot gelegentlich auf den Bildern des frühen Chagall,
dort, wo die fliegenden Hähne den Kamm haben. Mir persönlich
macht das nichts aus. Das Phänomen der Rothaarigkeit hat, finde
ich, auch seine guten Seiten. Wenn Amir uns beispielsweise in einem Gedränge abhanden kommt, können wir ihn binnen kurzem
dank seiner Haarfarbe orten, selbst in der größten Menschen-
menge. Schlimmstenfalls wird er also kein Stierkämpfer werden.
Na wennschon. Ist das ein Gesprächsthema?
Ich muß zugeben, daß auf dem ganzen, weit verzweigten Stammbaum meiner Familie kein einziger Rotkopf hockt, nicht einmal irgendein entfernter Urgroßonkel. Wieso gerade mein Sohn ...
Aber schließlich waren einige der bedeutendsten Männer der
Weltgeschichte rothaarig, zum Beispiel fällt mir jetzt kein Name
ein. Churchill, heißt es, kam sogar mit einer Glatze zur Welt.
»In meinen Augen«, pflegt die beste Ehefrau von allen zu sagen,
»ist Amir das schönste Kind im ganzen Land.«
Amir selbst scheint der gleichen Ansicht zu sein. Noch bevor er
richtig gehen konnte, nahm er jede Gelegenheit wahr, sich in einem Spiegel anzuschauen und verzückt auszurufen:
»Ich bin lothaalig, ich bin lothaalig!«
Er fühlte sich von Herzen froh und glücklich. Wir, seine klugen,
erfahrenen Eltern, wußten freilich nur allzu gut, was ihm bevorstand. Schon im Kindergarten würde das kleine, grausame Pack
ihn wegen seiner Haarfarbe necken und hänseln. Armer Rotkopf,
wie wirst du das Leben ertragen.
Unsere Sorgen erwiesen sich als gerechtfertigt. Amir besuchte erst
seit wenigen Wochen den Kindergarten, als er eines Tages traurig
und niedergeschlagen nach Hause kam. Auf unsere Frage, ob ihm
jemand etwas Böses getan hätte, begann er zu schluchzen:
»Ein Neuer ... heute ... er sagt ... rot ... rote Haare ...«
»Er sagt, daß du rote Haare hast?«
»Nein ... er sagt ... seine Haare sind röter.«
Ein Kind, und vollends schluchzendes Kind, kann sich nicht immer

verständlich ausdrücken. Deshalb riefen wir den Leiter des Kindergartens an, um die Sachlage zu klären. Er bestätigte, daß ein neu hinzugekommener Junge ebenfalls rothaarig sei und daß unser empfindsamer Sohn offenbar unter dem Verlust seiner Monopolstellung litt.

Amir hatte mittlerweile die ganze Geschichte vergessen und ging in den Garten, um sich vor der Katze zu fürchten.

»Jetzt ist er noch im seelischen Gleichgewicht«, erklärte mir seine Mutter. »Er hält rote Haare für schön und freut sich ihrer. Aber wie wird's in der Schule weitergehen?«

Im Verlauf unseres Gesprächs gestand sie mir, daß sie in ihren Träumen von einer stereotypen Schreckensvision heimgesucht würde: Amirlein rennt auf seinen kleinen Beinchen eine Straße entlang, verfolgt von einer brüllenden Kohorte (meine Frau träumt immer so extravagante Ausdrücke), die mit dem Ausruf: »Karottenkopf, Karottenkopf!« hinter ihm herhetzt.

Und wirklich, ein knappes Vierteljahr später kam Amir atemlos nach Hause gerannt. »Papi, Papi!« rief er schon von weitem. »Heute haben sie mich ›Karottenkopf‹ gerufen!«

»Hast du dich mit ihnen geprügelt?«

»Geprügelt? Warum?«

Es ist ihm immer noch nicht klar, dem Ärmsten, daß man ihn vorsätzlich kränken will. Wahrscheinlich stellt er sich unter einem Karottenkopf ein besonders schmackhaftes Gemüse vor. Manchmal stolziert er siegestrunken auf der Straße auf und ab, deutet auf seinen Kopf und jauchzt:

»Karottenkopf, Karottenkopf!«

Wie lange sollen wir ihn in seinem seligen Irrtum belassen? Ist es nicht unsere Pflicht, ihn rechtzeitig aufzuklären, ihn auf die Erniedrigungen und Beleidigungen vorzubereiten, von denen seine kleine Kinderseele nichts ahnt und die dennoch unaufhaltsam auf ihn zukommt? Wird er gewappnet sein?

»Du bist der Vater«, entschied die beste Ehefrau von allen. »Sprich du mit ihm.«

Ich nahm Amir auf die Knie:

»Es ist keine Schande, rote Haare zu haben, mein Sohn«, begann ich. »Niemand kann sich die Farbe seiner Haare aussuchen, stimmt's? König Davids Haar war flammend rot, und trotzdem hat er Goliath besiegt. Wenn also irgendein Idiot eine dumme Bemerkung über deine Haarfarbe macht, dann sag ihm geradeheraus:

›Jawohl, ich bin rothaarig, aber mein Papi nicht!‹ Hast du verstanden?«

Amir hörte mir nicht besonders aufmerksam zu. Er wollte längst hinausgehen und den Hund unseres Nachbarn mit Steinen bewerfen. Ein wenig abwesend streichelte er mich und murmelte ein paar Worte, die ungefähr besagten, daß ich mir nichts daraus machen sollte, keine roten Haare zu haben. Dann ließ er mich sitzen.

Nun, jedenfalls war er das schönste rothaarige Kind im ganzen Kindergarten. Er bestand darauf, seine roten Haare als Auszeichnung zu empfinden. Rothaarige sind sehr eigensinnig. Man muß sich nicht selten über sie ärgern. Es ist kein Zufall, daß man rothaarige Menschen nicht mag. Ich persönlich verstehe das sehr gut.

Meine Frau und ich beschlossen, die Sache nicht weiter zu verfolgen, zumindest nicht mit Gewalt. Wir ließen das Schicksal an uns herankommen.

Als draußen vor dem Haus die Rauferei ausbrach, wußten wir, daß es soweit war.

Ich stürzte hinaus. Mein Sohn Amir saß auf einem Fahrrad und heulte herzzerreißend, während die anderen Kinder – sofern man diese wilde Meute als »Kinder« bezeichnen konnte – von allen Seiten auf ihn eindrangen. Ich brach durch den stählernen Ring und drückte meinen kleinen Liebling ans Herz.

»Wer hat dich einen Rotkopf geheißen?« brüllte ich. »Wer wagt es, meinen Sohn zu beschimpfen?«

Die minderjährigen Monster blinzelten in die Luft und zogen es vor, nicht zu antworten.

Es war Amir selbst, der die klärenden Worte fand:

»Was Rotkopf, wer Rotkopf?« fragte er. »Ich hab' mir Gillis Fahrrad ausgeborgt, und er will es zurückhaben. Aber ich kann viel besser radeln als er. Warum läßt er mich nicht?«

»Das ist mein Rad«, stotterte einer der Knaben, wahrscheinlich Gilli. »Und ich hab's ihm nicht geborgt.«

»So, du hast es ihm nicht geborgt? Weil er rote Haare hat, nicht wahr?«

Und ohne mich mit der widerwärtigen Brut weiter abzugeben, trug ich Amir auf starken Armen ins Haus. Während ich ihm das Gesicht wusch, tröstete ich ihn mit all meiner väterlichen Liebe:

»Du bist kein Rotkopf, mein Herzblättchen. Deine Haare spielen ins Rötliche, aber sie sind nicht wirklich rot. Bei richtigen Rotköpfen ist die ganze Nase mit Sommersprossen bedeckt. Du hast höchstens vier, und auch die nur im Sommer. Kränk dich nicht. Es hat rothaarige Könige gegeben. Und die schönsten Tiere, die Gott geschaffen hat, sind rothaarig. Zum Beispiel der Fuchs. Oder der Wiedehopf, wenn er zufällig rote Federn hat. Du aber bist nicht rothaarig, Amir. Glaub ihnen nicht, wenn sie dich Rotkopf nennen. Sei nicht traurig. Hör ihnen gar nicht zu, mein kleiner Rotkopf . . .«

Es half nichts. Die Überzeugung, daß rote Haare etwas Schönes wären, hatte sich in Amir festgesetzt und ließ sich nicht verdrängen. Er meint, daß Rothaarige anders seien als die anderen.

Daran ist nur der Kindergarten schuld, wo man den Kleinen solchen Unsinn beibringt.

Gestern ertappte ich ihn dabei, wie er vor dem Spiegel stand und seine Sommersprossen zählte. Meine Frau behauptete, daß er sich heimlich kämmt und bürstet und alle möglichen Frisuren für seine Haare entwirft.

»Warum?« seufzte sie. »Warum läßt man ihn nicht in Ruhe? Warum reibt man ihm ununterbrochen unter die Nase, daß er rothaarig ist?«

Ich weiß auf diese Frage keine Antwort. Aber ich hege das tiefste Mitgefühl für alle rothaarigen Kinder, besonders für jene, deren Eltern nichts dazu tun, um sie von ihrem Rothaar-Komplex zu befreien.

Nun ja. Nicht jedes Kind hat das Glück, solche Eltern zu haben wie unser Amir.

ÜBER DEN UMGANG MIT COMPUTERN

Bisher hat es mich noch nie gestört, daß ich zufällig den gleichen Namen trage wie ein Nebenfluß des Jordan. Aber vor einiger Zeit erhielt ich eine Nachricht von der Steuerbehörde, auf offiziellem Papier und in sonderbar wackeliger Maschinenschrift:

»Letzte Mahnung vor Beschlagnahme. Da Sie auf unsere Mitteilung betreffend Ihre Schuld im Betrag von Isr. Pfund 20012,11 für die im Juli vorigen Jahres durchgeführten Reparaturarbeiten im Hafen des Kishon-Flusses bis heute nicht reagiert haben, machen wir Sie darauf aufmerksam, daß im Nichteinbringungsfall der obengenannten Summe innerhalb von sieben Tagen nach dieser letzten Mahnung die gesetzlichen Vorschriften betreffend Beschlagnahme und Verkauf Ihres beweglichen Eigentums in Anwendung gebracht werden.

Sollten Sie Ihre Schuld inzwischen beglichen haben, dann betrachten Sie diese Mitteilung als gegenstandslos. (gez.) S. Seligson, Abteilungsleiter.«

Ungeachtet des tröstlichen Vorbehalts im letzten Absatz verfiel ich in Panik. Einerseits bewies eine sorgfältige Prüfung meiner sämtlichen Bücher und Belege unzweifelhaft, daß keine wie immer gearteten Reparaturen an mir vorgenommen worden waren, andererseits fand ich nicht den geringsten Anhaltspunkt, daß ich der erwähnten Zahlungsverpflichtung nachgekommen wäre.

Da ich seit jeher dafür bin, lokale Konflikte durch direkte Verhandlungen zu bereinigen, begab ich mich zur Steuerbehörde, um mit Herrn Seligson zu sprechen.

»Wie Sie sehen«, sagte ich und zeigte ihm meinen Personalausweis, »bin ich ein Schriftsteller und kein Fluß.«

Der Abteilungsleiter faßte mich scharf ins Auge:

»Wieso heißen Sie dann Kishon?«

»Aus Gewohnheit. Außerdem heiße ich auch noch Ephraim. Der Fluß nicht.«

Das überzeugte ihn. Er entschuldigte sich und ging ins Nebenzimmer, wo er den peinlichen Vorfall mit seinem Stab zu diskutieren begann, leider nur flüsternd, so daß ich nichts hören konnte. Nach einer Weile forderte er mich auf, in die offene Türe zu treten und mich mit erhobenen Händen zweimal im Kreis zu drehen. Nach einer weiteren Weile war die Abteilung offenbar überzeugt, daß ich im Recht sei oder zumindest im Recht sein könnte. Der Abteilungsleiter kehrte an seinen Schreibtisch zurück, erklärte die Mahnung für hinfällig und schrieb mit Bleistift auf den Akt: »Hat keinen Hafen. Seligson.« Dann machte er auf den Aktendeckel eine große Null und strich sie mit zwei diagonalen Linien durch.

Erleichtert kehrte ich in den Schoß meiner Familie zurück:

»Es war ein Irrtum. Die Logik hat gesiegt.«

»Siehst du!« antwortete die beste Ehefrau von allen. »Man darf nie den Mut verlieren.«

Am Mittwoch traf die »Benachrichtigung über die Konfiskation beweglichen Gutes« bei mir ein:

»Da Sie unsere ›letzte Mahnung vor Beschlagnahme‹ unbeachtet gelassen haben«, schrieb Seligson, »und da Ihre Steuerschuld im Betrag von Isr. Pfund 20 012,11 bis heute nicht beglichen ist, sehen wir uns gezwungen, die gesetzlichen Vorschriften betreffend Beschlagnahme und Verkauf Ihres beweglichen Eigentums in Anwendung zu bringen. Sollten Sie Ihre Schuld inzwischen beglichen haben, dann betrachten Sie diese Mitteilung als gegenstandslos.«

Ich eilte zu Seligson.

»Schon gut, schon gut«, beruhigte er mich. »Es ist nicht meine Schuld. Für Mitteilungen dieser Art ist der elektronische Computer in Jerusalem verantwortlich, und solche Mißgriffe passieren ihm immer wieder. Kümmern Sie sich nicht darum.«

Soviel ich feststellen konnte, war die zuständige Stelle in Jerusalem vor ungefähr einem halben Jahr automatisiert worden, um mit der technischen Entwicklung Schritt zu halten. Seither besorgt der Computer die Arbeit von Tausenden traurigen Ex-Beamten. Er hat nur einen einzigen Fehler, nämlich den, daß die Techniker in Jerusalem mit seiner Arbeitsweise noch nicht so recht vertraut sind und ihn gelegentlich mit falschen Daten füttern. Die Folge sind gewisse Verdauungsstörungen, wie eben im Fall der an mir vorgenommenen Hafenreparatur.

Seligson versprach, das Mißverständnis ein für allemal aus der Welt zu schaffen. Sicherheitshalber schickte er noch in meiner Gegenwart ein Fernschreiben nach Jerusalem, des Inhalts, daß man die Sache bis auf weiteres ruhen lassen sollte, auf seine Verantwortung.

Ich dankte ihm für diese noble Geste und begab mich in vorzüglicher Laune nach Hause.

Am Montagvormittag wurde unser Kühlschrank abgeholt. Drei stämmige Staatsmöbelpacker wiesen einen von S. Seligson gezeichneten Pfändungsauftrag vor, packten den in unserem Klima unentbehrlichen Nutzgegenstand mit geübten Pranken und trugen ihn hinaus. Ich umhüpfte und umflatterte sie wie ein aufgescheuchter Truthahn: »Bin ich ein Fluß?« krähte ich. »Habe ich einen Hafen? Warum behandeln Sie mich als Fluß? Kann ein Fluß reden? Kann ein Fluß hüpfen?«

Die drei Muskelprotze ließen sich nicht stören. Sie besaßen einen amtlichen Auftrag, und den führten sie durch.

Auf dem Steueramt fand ich einen völlig niedergeschlagenen Seligson. Er hatte soeben aus Jerusalem eine erste Mahnung betreffend seine Steuerschuld von Isr. Pfund 20012,11 für meine Reparaturen erhalten.

»Der Computer«, erklärte er mir mit gebrochener Stimme, »hat offenbar die Worte ›auf meine Verantwortung‹ falsch analysiert. Sie haben mich in eine sehr unangenehme Situation gebracht, Herr Kishon. Das muß ich schon sagen!«

Ich empfahl ihm, die Mitteilung als gegenstandslos zu betrachten – aber da kam ich schön an. Seligson wurde beinahe hysterisch: »Wen der Computer einmal in den Klauen hat, den läßt er nicht mehr los!« rief er und raufte sich das Haar. »Vor zwei Monaten hat der Protokollführer des parlamentarischen Exekutivausschusses vom Computer den Auftrag bekommen, seinen Stellvertreter zu exekutieren. Nur durch die persönliche Intervention des Justizministers wurde der Mann im letzten Augenblick gerettet. Man kann nicht genug aufpassen . . .«

Ich beantragte, ein Taxi zu rufen und nach Jerusalem zu fahren, wo wir uns mit dem Computer aussprechen sollten, gewissermaßen von Mann zu Mann. Seligson winkte ab:

»Er läßt nicht mit sich reden. Er ist viel zu beschäftigt. Neuerdings wird er sogar für die Wettervorhersage eingesetzt. Und für Traumanalysen.«

Durch flehentliche Bitten brachte ich Seligson immerhin soweit, daß er den Magazinverwalter in Jaffa anwies, meinen Kühlschrank bis auf weiteres nicht zu verkaufen.

Einer am Wochenende eingelangten »Zwischenbilanz betr. Steuerschuldenabdeckung« entnahm ich, daß mein Kühlschrank bei

einer öffentlichen Versteigerung zum Preis von Isr. Pfund 19,–
abgegangen war und daß meine Schuld sich nur noch auf Isr.
Pfund 19 993,11 belief, die ich innerhalb von sieben Tagen zu bezahlen hatte. Sollte ich in der Zwischenzeit . . .
Diesmal mußte ich in Seligsons Büro eine volle Stunde warten,
ehe er keuchend ankam. Er war den ganzen Tag mit seinem Anwalt kreuz und quer durch Tel-Aviv gesaust, hatte seinen Kühlschrank auf den Namen seiner Frau überschreiben lassen und
schwor mir zu, daß er nie wieder für irgend jemand intervenieren
würde, am allerwenigsten für einen Fluß.
»Und was soll aus mir werden?« fragte ich.
»Keine   Ahnung«,   antwortete   Seligson   wahrheitsgemäß.
»Manchmal kommt es vor, daß der Computer eines seiner Opfer
vergißt. Allerdings sehr selten.«
Ich erwiderte, daß ich an Wunder nicht glaubte und die ganze Angelegenheit sofort und endgültig zu regeln wünschte.
Nach kurzem, stürmischem Gedankenaustausch trafen wir eine
Vereinbarung, derzufolge ich die Kosten der in meinem Hafen
durchgeführten Reparaturen in zwölf Monatsraten abzahlen
würde. Mit meiner und Seligsons Unterschrift versehen, ging das
Dokument sofort nach Jerusalem, um von meinem beweglichen
Gut zu retten, was noch zu retten war.
»Mehr kann ich wirklich nicht für Sie tun«, entschuldigte sich Seligson. »Vielleicht wird der Computer mit den Jahren vernünftiger.«
»Hoffen wir's«, sagte ich.
Gestern erreichte mich der erste Scheck in der Höhe von Isr. Pfund
1 666,05, ausgestellt vom Finanzministerium und begleitet von einer Mitteilung Seligsons, daß es sich um die erste Monatsrate der
ingesamt Isr. Pfund 19 993,11 handelte, die mir von der Steuerbehörde gutgeschrieben worden waren.
Meine frohe Botschaft, daß wir fortan keine Existenzsorgen haben
würden, beantwortete die beste Ehefrau von allen mit der ärgerlichen Bemerkung, es sei eine Schande, daß man uns um die Zinsen
betrüge, anderswo bekäme man sechs Prozent.
Die Zukunft gehört dem Computer. Sollten Sie das schon selbst
gemerkt haben, dann betrachten Sie diese Mitteilung als gegenstandslos.

Vor etwa einer Woche begann mir aufzufallen, daß ich keine
Briefe mehr bekam. Ich glaubte zuerst, daß ein Postnovize die
Briefe nach einem neuen, geheimnisvollen Schlüssel zustellte.
Gestern entdeckte ich durch Zufall die wahre Ursache. Als ich zu
ungewohnter Stunde das Haus verließ, sah ich einen minderjähri-
gen Angler, den Sohn der im Nebenhaus lebenden Familie Ziegler,
wie er mit zwei zarten Fingern in den Schlitz meines Briefkastens
fuhr und gleich auf den ersten Griff drei oder vier Briefe hervor-
zog. Bei meinem Anblick ergriff er die Flucht.
Ich begab mich ebenso schnurstracks wie wutschnaubend zu
Herrn Ziegler, der bereits an der Schwelle seines Hauses stand.
»Was los?« fragte er.
»Herr!« schleuderte ich ihm entgegen, »Ihr Sohn stiehlt meine
Briefe!«
»Er stiehlt keine Briefe. Er sammelt Briefmarken.«
»Wie bitte?«
»Hören Sie«, holte Herr Ziegler aus. »Ich lebe mit Gottes Hilfe
seit dreiunddreißig Jahren in diesem Land und habe einiges gelei-
stet, wovon nur sehr wenige Menschen wissen, darunter ein
paar Minister. Ich spreche aus Erfahrung. Und ich sage Ihnen:
heutzutage ist es nicht mehr der Mühe wert, Briefe zu bekom-
men.«
»Und wenn einmal ein wichtiger Brief dabei ist?«
»Wichtig? Was ist schon wichtig? Ist die Steuervorschreibung
wichtig? Ist eine Gerichtsvorladung wichtig? Ist es wichtig, was
Ihre amerikanischen Verwandten Ihnen schreiben? Glauben Sie
mir: es gibt keine wichtigen Briefe.«
»Entschuldigen Sie, aber –«
»Mein Bruder war Karate-Trainer in der Armee und bekam plötzlich einen Brief mit der Nachricht, daß er als Gesandter nach San-
sibar zu gehen hätte. Er gab ein Vermögen für neue Garderobe aus
und las eine Menge Bücher, um sich über seinen neuen Wir-
kungsbereich zu informieren. Nach einer Woche stellte sich heraus, daß es sich um einen Irrtum handelte, und jetzt arbeitet er
als Rausschmeißer in der ›Sansi-Bar‹. Nur damit Sie wissen, was
ein wichtiger Brief ist, Herr.«

»Wichtig oder nicht – ich möchte die an mich gerichteten Briefe ganz gerne lesen. Okay?«

»Okay. Ich werde meinen Sohn zu überreden trachten, daß er nur die Marken behält und Ihnen die wichtigen Briefe zurückgibt.«

»Vielen herzlichen Dank. Darf ich Ihrem Herrn Sohn einen Schlüssel zu meinem Postkasten überreichen?«

»Wozu? Der Bub soll nur schön lernen, wie man Marken sammelt.«

Damit war der philatelistische Privatdienst zwischen mir und Ziegler junior offiziell eröffnet.

Hiermit ersuche ich meine sämtlichen Korrespondenzpartner, vor allem die ausländischen, ihre Briefe mit besonders schönen Marken zu frankieren; sie haben dann eine größere Chance, mich zu erreichen.

Amir, unser rothaariger Tyrann, ißt nicht gerne und hat niemals gerne gegessen. Wenn er überhaupt kaut, dann nur an seinem Schnuller.

Erfahrene Mütter haben uns geraten, ihn hungern zu lassen, das heißt: wir sollten ihm so lange nichts zu essen geben, bis er reumütig auf allen vieren zu uns gekrochen käme. Wir gaben ihm also einige Tage lang nichts zu essen, und davon wurde er tatsächlich so schwach, daß wir auf allen vieren zu ihm gekrochen kamen, um ihm etwas Nahrung aufzudrängen.

Schließlich brachten wir ihn zu einem unserer führenden Spezialisten, einer Kapazität auf dem Gebiet der Kleinkind-Ernährung. Der weltberühmte Professor warf einen flüchtigen Blick auf Amir und fragte, noch ehe wir eine Silbe geäußert hatten:

»Ißt er nicht?«

»Nein.«

»Dabei wird's auch bleiben.«

Nach einer kurzen Untersuchung bestätigte der erfahrene Fachmann, daß es sich hier um einen völlig aussichtslosen Fall handelte. Amirs Magen besaß die Aufnahmefähigkeit eines Vögleins. Die finanzielle Aufnahmefähigkeit des Professors war ungleich größer. Wir befriedigten sie.

Seither versuchen wir mehrmals am Tag, Amir mit Gewalt zu füttern, ganz im Geiste jenes Bibelworts, das da lautet: »Im Schweiße deines Angesichts sollst du dein Brot essen.« Ich muß allerdings gestehen, daß weder ich selbst noch die beste Ehefrau von allen die für solche Betätigung erforderliche Geduld aufbringen.

Zum Glück hat sich mein Schwiegervater der Sache angenommen und seinen ganzen Ehrgeiz dareingesetzt, Amir zur Nahrungsaufnahme zu bewegen. Er erzählt ihm phantastische Geschichten, über die Amir vor Staunen den Mund aufreißt – und dabei vergißt er, daß er nicht essen will. Ein genialer Einfall, aber leider keine Dauerlösung.

Eines der Hauptprobleme hört auf den Namen »Kakao«. Dieses nahrhafte, von Vitaminen und Kohlehydraten strotzende Getränk ist für Amirs physische Entwicklung unentbehrlich. Deshalb schließt Großpapa sich abends mit Amir im Kinderzimmer ein, und wenn er nach einigen Stunden erschöpft und zitternd herauskommt, kann er stolz verkünden: »Heute hat er's schon fast auf eine halbe Tasse gebracht.«

Die große Wendung kam im Sommer. Eines heißen Abends, als Großpapa das Kinderzimmer verließ, zitterte er zwar wie gewohnt, aber diesmal vor Aufregung:

»Denkt euch nur – er hat die ganze Tasse ausgetrunken!«

»Nicht möglich!« riefen wir beide. »Wie hast du das fertiggebracht?«

»Ich hab' ihm gesagt, daß wir Papi hereinlegen werden.«

»Wie das? Bitte sei etwas deutlicher.«

»Ich hab' ihm gesagt: wenn er brav austrinkt, füllen wir nachher die Tasse mit lauwarmem Leitungswasser und erzählen dir, daß Amir schon wieder alles stehengelassen hat. Daraufhin wirst du wütend und machst dich selbst über die volle Tasse her. Und dann freuen wir uns darüber, daß wir dich hereingelegt haben.«

Ich fand diesen Trick ein wenig primitiv. Auch halte ich es in pädagogischer Hinsicht für verfehlt, wenn ein Vater, der ja schließlich eine Respektsperson sein soll, sich von seinem eigenen Kind zum Narren machen läßt. Erst auf mütterlichen Druck (»Hauptsache, daß der Kleine seinen Kakao trinkt«) entschloß ich mich, auf das Spiel einzugehen. Großpapa begab sich ins Badezimmer, füllte den Becher mit lauwarmer Flüssigkeit und hielt ihn mir hin:

»Amir hat schon wieder keinen Tropfen getrunken!«

Empörung. »Was glaubt der Kerl? Er will diesen herrlichen Kakao nicht trinken? Gut, dann trink' ich ihn selbst!«

Amirs Augen hingen erwartungsvoll glitzernd an meinem Mund, als ich den Becher ansetzte. Und ich täuschte seine Erwartung nicht: »Pfui Teufel!« rief ich nach dem ersten Schluck. »Was ist das für ein abscheuliches Gesöff? Brrr!«

»Reingefallen, reingefallen!« jauchzte Amir, tat einen Luftsprung und konnte sich vor Freude nicht fassen. Es war ein wenig peinlich – aber, um seine Mutter zu zitieren: »Hauptsache, daß er seinen Kakao trinkt.«

Am nächsten Tag war's die gleiche Geschichte: Opa brachte mir einen Becher Leitungswasser, Amir hat nichts getrunken, was glaubt der Kerl, herrlicher Kakao, pfui Teufel, brr, reingefallen, reingefallen. Und von da an wiederholte sich die Prozedur Tag für Tag.

Nach einiger Zeit funktionierte sie sogar ohne Großpapa. Amirs

Entwicklung macht eben Fortschritte. Jetzt kommt er schon selbst mit dem Leitungswasserbecher, unerhört, herrlicher Kakao, pfui Teufel, reingefallen, Luftsprung . . .

Mit der Zeit begann ich mir Sorgen zu machen: »Liebling«, fragte ich meine Frau, »ist unser Kind vielleicht dumm?«

Es war mir nämlich nicht ganz klar, was sich in seinem Kopf abspielte. Vergaß er jeden Abend, was am Abend zuvor geschehen war? Hielt er mich für schwachsinnig, daß ich seit Monaten demselben Trick aufsaß?

Die beste Ehefrau von allen fand wie immer die richtigen Trostworte: was der Kleine denkt, ist unwichtig, wichtig ist, was er trinkt.

Es mochte ungefähr Mitte Oktober sein, als ich – vielleicht aus purer Zerstreutheit, vielleicht aus unterschwelligem Protest – die üble Flüssigkeit ohne jedes »unerhört« und »brrr« direkt in die Toilette schüttete.

Das sehen und in Tränen ausbrechen, war für Amir eins:

»Pfui, Papi«, schluchzte er. »Du hast ja nicht einmal gekostet.«

Jetzt war es mit meiner Selbstbeherrschung vorbei:

»Ich brauche nicht zu kosten«, herrschte ich meinen Nachkommen an. »Jeder Trottel kann sehen, daß es nur Wasser ist.«

Ein durchdringender Blick Amirs war die Folge:

»Lügner«, sagte er leise. »Warum hast du dann bisher immer gekostet?«

Das war die Entlarvung. Amir wußte, daß wir Abend für Abend ein idiotisches Spiel veranstalteten. Wahrscheinlich hatte er's von allem Anfang an gewußt.

Unter diesen Umständen bestand keine Notwendigkeit mehr, die lächerliche Prozedur fortzusetzen.

»Doch«, widersprach die beste Ehefrau von allen. »Es macht ihm Spaß. Hauptsache, daß er . . .«

Im November führte Amir eine kleine Textänderung ein. Wenn ich ihn bei Überreichung des Bechers fragte, warum er seinen Kakao nicht getrunken hätte, antwortete er:

»Ich habe nicht getrunken, weil das kein Kakao ist, sondern Leitungswasser.«

Eine weitere Erschwerung trat im Dezember auf, als Amir sich angewöhnte, die Flüssigkeit vor der Kostprobe mit dem Finger umzurühren. Die Zeremonie widerte mich immer heftiger an. Schon am Nachmittag wurde mir übel, wenn ich mir vorstellte, wie das kleine, rothaarige Ungeheuer am Abend mit dem Leitungswasser angerückt kommen würde. Alle anderen Kinder trinken Kakao, weil Kinder eben Kakao trinken. Nur mein eigenes Kind ist mißraten . . .

Gegen Ende des Jahres geschah etwas Rätselhaftes. Ich weiß nicht, was da in mich gefahren war: an jenem Abend nahm ich aus meines Sohnes Hand den Becher entgegen – und statt den eklen Sud in weitem Bogen auszuspucken, trank ich ihn bis zur Neige. Ich erstickte beinahe, aber ich trank.

Amir stand entgeistert daneben. Als die Schrecksekunden vorüber waren, schaltete er höchste Lautstärke ein:

»Wieso?« schrillte er. »Warum trinkst du das?«

»Was heißt da warum und wieso?« gab ich zurück. »Hast du mir nicht gesagt, daß du heute keinen Tropfen Kakao getrunken hast? Und hab' ich dir nicht gesagt, daß ich den Kakao dann selbst trinken werde? Also?«

In Amirs Augen funkelte unverkennbarer Vaterhaß. Er wandte sich ab, ging zu Bett und weinte die ganze Nacht.

Es wäre wirklich besser gewesen, die Komödie vom Spielplan abzusetzen. Aber davon wollte meine Frau nichts wissen:

»Hauptsache«, erklärte sie, »daß er seinen Kakao trinkt.«

So vollzog sich denn das Kakao-Spiel erbarmungslos Abend für Abend, immer zwischen sieben und halb acht . . .

Als Amir älter geworden war, ergab sich eine kleine Zeitverschiebung. Wir hatten ihm erlaubt, an seinem Geburtstag ein paar seiner Freunde einzuladen, mit denen er sich unter Mitnahme des Bechers ins Kinderzimmer zurückzog. Gegen acht Uhr wurde ich ungeduldig und wollte ihn zwecks Abwicklung des Rituals herausrufen. Als ich mich der Türe näherte, hörte ich ihn sagen:

»Jetzt muß ich ins Badezimmer gehen und lauwarmes Wasser holen.«

»Warum?« fragte sein Freund Gilli.

»Mein Papi will es so haben.«

»Warum?«

»Weiß nicht. Jeden Abend dasselbe.«

Der gute Junge – in diesem Augenblick wurde es mir klar – hatte die ganze Zeit geglaubt, daß *ich* es sei, der das Kakao-Spiel brauchte. Und er hat nur um meinetwillen mitgespielt.

Am nächsten Tag zog ich Amir an meine Brust und ins Vertrauen:

»Sohn«, sagte ich, »es ist Zeit, von diesem Unsinn zu lassen. Schluß mit dem Kakao-Spiel! Wir wissen beide, woran wir sind. Komm, laß uns etwas anderes erfinden.«

Das Schrei- und Heulsolo, das daraufhin einsetzte, widerhallte im ganzen Wohnviertel. Und was ich erst von meiner Frau zu hören bekam!

Die Ensuite-Vorstellung geht weiter. Es gibt keine Rettung. Manchmal ruft Amir, wenn die Stunde da ist, aus dem Badezimmer: »Papi, kann ich dir schon das Leitungswasser bringen?« und ich beginne daraufhin sofort meinen Teil des Dialogs herunterzuleiern, unerhört, herrlicher Kakao, pfui Teufel, brr . . . Es ist zum Verzweifeln. Als Amir eines Abends ein wenig Fieber hatte und im Bett bleiben mußte, ging ich selbst ins Badezimmer, füllte meinen Sud in den Becher und trank ihn aus.

»Reingefallen, reingefallen«, rief Amir durch die offene Türe.

Seit neuestem hat er meinen Text übernommen. Wenn er mit dem gefüllten Becher aus dem Badezimmer herauskommt, murmelt er vor sich hin:

»Amir hat schon wieder keinen Tropfen getrunken, das ist ja unerhört, was glaubt der Kerl . . .« und so weiter bis brrr.

Ich komme mir immer überflüssiger vor in diesem Haus. Wirklich, wenn es nicht die Hauptsache wäre, daß Amir seinen Kakao trinkt – ich wüßte nicht, wozu ich überhaupt gut bin.

Das Fernsehen als moralische Anstalt

»Wunder dauern höchstens eine Woche«, heißt es im Buche Genesis. Wie wahr!

Nehmen wir zum Beispiel das Fernsehen: Während der ersten Wochen waren wir völlig in seinem Bann und saßen allnächtlich vor dem neu erworbenen Gerät, bis die letzte Versuchsstation im hintersten Winkel des Vorderen Orients ihr letztes Versuchsprogramm abgeschlossen hatte. So halten wir's noch immer – aber von »gebannt« kann keine Rede mehr sein. Eigentlich benützen wir den Apparat nur deshalb, weil unser Haus auf einem freiliegenden Hügel steht; und das bedeutet guten Empfang von allen Seiten.

Dieser Spielart des technischen Fortschritts ist auch Amir zum Opfer gefallen.

Es drückt uns das Herz ab, ihn zu beobachten, wie er fasziniert auf die Mattscheibe starrt, selbst wenn dort eine Stunde lang nichts andres geboten wird als das Inserat »Pause« oder »Israelische Television«. Etwaigen Hinweisen auf sein sinnloses Verhalten begegnet er mit einer ärgerlichen Handbewegung und einem scharfen »Psst!«

Nun ist es für ein kleines Kind nicht eben bekömmlich, Tag für Tag bis Mitternacht vor dem Fernsehkasten zu hocken und am nächsten Morgen auf allen vieren in den Kindergarten zu kriechen. Und die Sorgen, die er uns damit verursachte, sind noch gewaltig angewachsen, seit der Sender Zypern seine lehrreiche Serie »Die Abenteuer des Engels« gestartet hat und unsern Sohn mit schöner Regelmäßigkeit darüber unterrichtet, wie man den perfekten Mord begeht. Amirs Zimmer muß seither hell erleuchtet sein, weil er sonst vor Angst nicht einschlafen kann. Andererseits kann er auch bei heller Beleuchtung nicht einschlafen, aber er schließt wenigstens die Augen – nur um sie sofort wieder aufzureißen, weil er Angst hat, daß gerade jetzt der perfekte Mörder erscheinen könnte.

»Genug!« entschied eines Abends mit ungewöhnlicher Energie die beste Ehefrau von allen. »Es ist acht Uhr. Marsch ins Bett mit dir!«

Der als Befehl getarnte Wunsch des Mutterherzens ging nicht in

Erfüllung. Amir, ein Meister der Verzögerungstaktik, erfand eine neue Kombination von störrischem Schweigen und monströsem Gebrüll.

»Will nicht ins Bett!« röhrte er. »Will fernsehen. Will Fernsehen sehen!«

Seine Mutter versuchte ihn zu überzeugen, daß es dafür schon zu spät sei. Umsonst.

»Und du? Und Papi? Für euch ist es nicht zu spät?«

»Wir sind Erwachsene.«

»Dann geht arbeiten!«

»Geh du zuerst schlafen!«

»Ich geh schlafen, wenn ihr auch schlafen geht.«

Mir schien der Augenblick gekommen, die väterliche Autorität ins Gespräch einzuschalten: »Vielleicht hast du recht, mein Sohn. Wir werden jetzt alle schlafen gehen.«

Ich stellte den Apparat ab und veranstaltete gemeinsam mit meiner Frau ein demonstratives Gähnen und Räkeln. Dann begaben wir uns selbdritt in unsere Betten. Natürlich hatten wir nicht vergessen, daß Kairo um 8.15 Uhr ein französisches Lustspiel ausstrahlte. Wir schlichen auf Zehenspitzen ins Fernsehzimmer zurück und stellten den Apparat vorsichtig wieder an.

Wenige Sekunden später warf Amir seinen Schatten auf den Bildschirm:

»Pfui!« kreischte er in nicht ganz unberechtigtem Zorn. »Ihr habt ja gelogen!«

»Papi lügt nie«, belehrte ihn seine Mutter. »Wir wollten nur nachschauen, ob die Ampexlampe nach links gebündelt ist oder nicht. Und jetzt gehen wir schlafen. Gute Nacht.«

So geschah es. Wir schliefen sofort ein.

»Ephraim«, flüsterte nach wenigen Minuten meine Frau aus dem Schlaf, »ich glaube, wir können hinübergehen . . .«

»Still«, flüsterte ich ebenso schlaftrunken. »Er kommt.«

Aus halb geöffneten Augen hatte ich im Dunkeln die Gestalt unseres Sohnes erspäht, der sich – offenbar zu Kontrollzwecken – an unser Zimmer herantastete.

Er nahm mein vorbildlich einsetzendes Schnarchen mit Befriedigung zur Kenntnis und legte sich wieder ins Bettchen, um sich vor dem perfekten Mörder zu fürchten. Zur Sicherheit ließen wir noch ein paar Minuten verstreichen, ehe wir uns abermals auf den Schleichweg zum Fernsehschirm machten.

»Stell den Ton ab«, flüsterte meine Frau.
Das war ein vortrefflicher Rat. Beim Fernsehen, und daher der Name, kommt es ja darauf an, was man sieht, nicht darauf, was man hört. Und wenn's ein Theaterstück ist, kann man den Text mit ein wenig Mühe von den Lippen der Agierenden ablesen. Allerdings muß dann das Bild so scharf wie möglich herauskommen. Zu diesem Zweck drehte meine Frau den entsprechenden Knopf, genauer: den Knopf, von dem sie glaubte, daß es der entsprechende wäre. Er war es nicht. Wir erkannten das daran, daß im nächsten Augenblick der Ton mit erschreckender Vollkraft losbrach.
Und schon kam Amir herbeigestürzt:
»Lügner! Gemeine Lügner! Schlangen! Schlangenlügner!« Und sein Heulen übertönte den Sender Kairo.
Da unsere Befehlsgewalt für den heutigen Abend rettungslos untergraben war, blieb Amir nicht nur für die ganze Dauer des dreiaktigen Lustspiels bei uns sitzen, sondern genoß auch noch, leise schluchzend, die Darbietungen zweier Bauchtänzerinnen aus Amman.
Am nächsten Tag schlief er im Kindergarten während der Gesangstunde ein.
Die Kindergärtnerin empfahl uns telefonisch, ihn sofort in ein Spital zu bringen, denn er sei möglicherweise von einer Tse-Tse-Fliege gebissen worden. Wir begnügten uns jedoch damit, ihn nach Hause zu holen.
»Jetzt gibt's nur noch eins«, seufzte unterwegs meine Frau.
»Nämlich?«
»Den Apparat verkaufen.«
»Verkauft ihn doch, verkauft ihn doch!« meckerte Amir.
Wir verkauften ihn natürlich nicht. Wir stellten ihn nur pünktlich um 8 Uhr abends ab, erledigten die vorschriftsmäßige Prozedur des Zähneputzens und fielen vorschriftsmäßig ins Bett. Unter meinem Kopfkissen lag die auf 9.30 eingestellte Weckeruhr.
Es klappte. Amir konnte auf seinen zwei Kontrollbesuchen nichts Verdächtiges entdecken, und als der Wecker um 9.30 Uhr sein gedämpftes Klingeln hören ließ, zogen wir leise und behutsam die vorgesehenen Konsequenzen. Der dumpfe Knall, der unsere Behutsamkeit zuschanden machte, rührte daher, daß meine Frau mit dem Kopf an die Türe gestoßen war. Ich half ihr auf die Beine:
»Was ist los?«

»Er hat uns eingesperrt.«

Ein begabtes Kind, das muß man schon sagen; wenn auch auf andrer Linie begabt als Frank Sinatra, dessen neuester Film vor fünf Minuten in Zypern angelaufen war.

»Warte hier, Liebling. Ich versuch's von außen.«

Durchs offene Fenster sprang ich in den Garten, erkletterte katzenartig den Balkon im ersten Stock, zwängte meine Hand durch das Drahtgitter, öffnete die Türe, stolperte ins Parterre hinunter und befreite meine Frau. Nach knappen zwanzig Minuten saßen wir vor dem Bildschirm. Ohne Ton, aber glücklich.

In Amirs Region herrschte vollkommene, fast schon verdächtige Ruhe.

Auf der Mattscheibe sang Frank Sinatra ein lautloses Lied mit griechischen Untertiteln.

Und plötzlich . . .

»Achtung, Ephraim!« konnte meine Frau mir gerade noch zuwispern, während sie das Fernsehgerät ins Dunkel tauchen ließ und mit einem Satz hinter die Couch sprang. Ich meinerseits kroch unter den Tisch, von wo ich Amir, mit einem langen Stock bewehrt, durch den Korridor tappen sah. Vor unserem Schlafzimmer blieb er stehen und guckte, schnüffelnd wie ein Bluthund, durchs Schlüsselloch.

»Hallo!« rief er. »Ihr dort drinnen! Hallo! Schlaft ihr?«

Als keine Antwort kam, machte er kehrt, und zwar in Richtung Fernsehzimmer. Das war das Ende. Ich knipste das Licht an und empfing ihn mit lautem Lachen: »Hahaha«, lachte ich, und abermals: »Hahaha! Jetzt bist einmal *du* hereingefallen, Amir, mein Sohn, was?«

Die Details sind unwichtig. Seine Fausthiebe taten mir nicht weh, die Kratzer schon etwas mehr. Richtig unangenehm war, daß man in den Nachbarhäusern alles hörte. Dann holte Amir sein Bettzeug aus dem Kinderzimmer und baute es vor dem Fernsehapparat auf.

Irgendwie konnten wir ihn verstehen. Wir hatten ihn tief enttäuscht, wir hatten den Glauben an seine Eltern erschüttert, wir waren die eigentlich Schuldigen. Er nennt uns seither nur »Lügenpapi« und »Schlangenmami« und zeltet vor dem Bildschirm, bis der Morgen dämmert. In den ersten Nächten sah ich noch ein paarmal nach, ob er ohne uns fernsieht, aber er schlief den Schlaf des halbwegs Gerechten. Wir ließen es dabei. Wir machten erst gar keinen Versuch, ihn zur Übersiedlung in sein Bett zu bewegen. Warum auch? Was tat er denn Übles? Fliegenfangen oder Katzenquälen wäre besser? Wenn er fernsehen will, soll er fernsehen. Morgen verkaufen wir den verdammten Kasten sowieso. Und kaufen einen neuen.

Eines Tages unterrichtete mich die beste Ehefrau von allen, daß
wir eine neue Waschmaschine brauchten, da die alte, offenbar unter dem Einfluß des mörderischen Klimas, den Dienst aufgekün-
digt hatte. Der Winter stand vor der Tür, und das bedeutete, daß
die Waschmaschine jedes einzelne Wäschestück mindestens dreimal waschen müßte, da jeder Versuch, es durch Aufhängen im
Freien zu trocknen, an den jeweils kurz darauf einsetzenden Re-
gengüssen scheiterte. Und da der Winter heuer besonders regne-
risch zu werden versprach, war es klar, daß nur eine neue, junge,
kraftstrotzende und lebenslustige Waschmaschine sich gegen ihn
behaupten könnte.
»Geh hin«, so sprach ich zu meinem Eheweib, »geh hin, Liebliche,
und kaufe eine Waschmaschine. Aber wirklich nur eine, und von
heimischer Erzeugung. So heimisch wie möglich.«
Die beste Ehefrau von allen ist zugleich eine der besten Einkäufe-
rinnen, die ich kenne. Schon am nächsten Tag stand in einem Ne-
benraum unserer Küche, fröhlich summend, eine original hebräische Waschmaschine mit blitzblank poliertem Armaturenbrett,
einer langen Kabelschnur und ausführlicher Gebrauchsanwei-
sung. Es war Liebe aufs erste Waschen – der Reklameslogan hatte
nicht gelogen. Unser Zauberwaschmaschinchen besorgte alles von
selbst. Schäumen, Waschen und Trocknen. Fast wie ein Wesen mit
menschlicher Vernunft.
Und genau davon handelt die folgende Geschichte.
Am Mittag des zweiten Tages betrat die beste Ehefrau von allen
mein Arbeitszimmer, ohne anzuklopfen, was immer ein böses
Zeichen ist. Und sagte:
»Ephraim, unsere Waschmaschine wandert.«
Ich folgte ihr zur Küche. Tatsächlich: der Apparat war soeben damit beschäftigt, die Wäsche zu schleudern und mittels der hierbei
erfolgenden Drehbewegung den Raum zu verlassen. Wir konnten
den kleinen Ausreißer noch ganz knapp vor Überschreiten der
Schwelle aufhalten, brachten ihn durch einen Druck auf den grell-
roten Alarmknopf zum Stillstand und berieten die Sachlage.
Es zeigte sich, daß die Maschine nur dann ihren Standort veränderte, wenn das Trommelgehäuse des Trockenschleuderers seine

unwahrscheinlich schnelle Rotationstätigkeit aufnahm. Dann lief zuerst ein Zittern durch den Waschkörper – und gleich darauf begann er, wie von einem geheimnisvollen inneren Drang getrieben, hopphopp draufloszumarschieren.

Na schön. Warum nicht. Unser Haus ist schließlich kein Gefängnis, und wenn Maschinchen marschieren will, dann soll es.

In einer der nächsten Nächte weckte uns das kreischende Geräusch gequälten Metalls aus Richtung Küche. Wir stürzten hinaus: das Dreirad unseres Söhnchens Amir lag zerschmettert unter der Maschine, die sich in irrem Tempo um ihre eigene Achse drehte. Amir seinerseits heulte mit durchdringender Lautstärke und schlug mit seinen kleinen Fäusten wild auf den Dreiradmörder ein:

»Pfui, schlimmer Jonathan! Pfui!«

Jonathan, das muß ich erklärend hinzufügen, war der Name, den wir unserem Maschinchen seiner menschenähnlichen Intelligenz halber gegeben hatten.

»Jetzt ist es genug«, erklärte die Frau des Hauses. »Ich werde Jonathan fesseln.«

Und das tat sie denn auch mit einem rasch herbeigeholten Strick, dessen anderes Ende sie an die Wasserleitung band.

Ich hatte bei dem allen ein schlechtes Gefühl, hütete mich jedoch, etwas zu äußern. Jonathan gehörte zum Einflußbereich meiner Frau, und ich konnte ihr das Recht, ihn anzubinden, nicht streitig machen.

Indessen möchte ich nicht verhehlen, daß es mich mit einiger Genugtuung erfüllte, als wir Jonathan am nächsten Morgen an der gegenüberliegenden Wand stehen sahen. Er hatte offenbar alle seine Kräfte angespannt, denn der Strick war gerissen.

Seine Vorgesetzte fesselte ihn zähneknirschend von neuem, diesmal mit einem längeren und dickeren Strick, dessen Ende sie um den Heißwasserspeicher schlang.

Das ohrenbetäubende Splittern, das sich bald darauf als Folge dieser Aktion einstellte, werde ich nie vergessen.

»Er zieht den Speicher hinter sich her!« flüsterte die entsetzte Küchenchefin, als wir am Tatort angelangt waren. Der penetrante Gasgeruch in der Küche bewog uns, auf künftige Fesselungen zu verzichten. Jonathans Abneigung gegen Stricke war nicht zu verkennen, und wir ließen ihn fortan ohne jede Behinderung seinen Waschgeschäften nachgehen. Irgendwie leuchtete es uns ein, daß er, vom Lande Israel hervorgebracht – eine Art Sabre –, über unbändigen Freiheitswillen verfügte. Wir waren beinahe stolz auf ihn.

Einmal allerdings, noch dazu an einem Samstagabend, an dem wir, wie immer, Freunde zum Nachtmahl empfingen, drang Jonathan ins Speisezimmer ein und belästigte unsere Gäste.

»Hinaus mit dir!« rief meine Frau ihm zu. »Marsch hinaus! Du weißt, wo du hingehörst!«

Das war natürlich lächerlich. So weit reichte Jonathans Intelligenz nun wieder nicht, daß er die menschliche Sprache verstanden hätte. Jedenfalls schien es mir sicherer, ihn durch einen raschen Druck auf den Alarmknopf zum Stehen zu bringen, wo er stand.

Als unsere Gäste gegangen waren, startete ich Jonathan, um ihn auf seinen Platz zurückzuführen. Aber er schien uns die schlechte Behandlung von vorhin übelzunehmen und weigerte sich. Wir mußten ihn erst mit einigen Wäschestücken füttern, ehe er sich auf den Weg machte . . .

Amir hatte allmählich Freundschaft mit ihm geschlossen, bestieg ihn bei jeder Gelegenheit und ritt auf ihm, unter fröhlichen »Hühott«-Rufen, durch Haus und Garten.

Wir alle waren's zufrieden. Jonathans Waschqualitäten blieben die alten, er war wirklich ein ausgezeichneter Wäscher und gar nicht wählerisch in bezug auf Waschpulver. Wir konnten uns nicht beklagen.

Immerhin befiel mich ein arger Schrecken, als ich eines Abends, bei meiner Heimkehr, Jonathan mit gewaltigen Drehsprüngen auf mich zukommen sah. Ein paar Minuten später, und er hätte die Straße erreicht.

»Vielleicht«, sagte träumerisch die beste Ehefrau von allen, nachdem ich ihn endlich gebändigt hatte, »vielleicht könnten wir ihn bald einmal auf den Markt schicken. Wenn man ihm einen Einkaufszettel mitgibt . . .«

Sie meinte das nicht im Ernst. Aber es bewies, wieviel wir von Jonathan schon hielten. Wir hatten fast vergessen, daß er doch eigentlich als Waschmaschine gedacht war. Und daß er vieles tat, was zu tun einer Waschmaschine nicht oblag.

Ich beschloß, einen Spezialisten zu konsultieren. Er zeigte sich über meinen Bericht in keiner Weise erstaunt.

»Ja, das kennen wir«, sagte er. »Wenn sie schleudern, kommen sie gern ins Laufen. Meistens geschieht das, weil sie zuwenig Wäsche in der Trommel haben. Dadurch entsteht eine zentrifugale

Gleichgewichtsstörung, von der die Maschine vorwärtsgetrieben wird. Geben Sie Jonathan mindestens vier Kilo Wäsche, und er wird brav seinen Platz halten.«

Meine Frau erwartete mich im Garten.

Als ich ihr auseinandersetzte, daß es der Mangel an Schmutzwäsche war, der Jonathan zu zentrifugalem Amoklaufen triebe, erbleichte sie:

»Großer Gott! Gerade habe ich ihm zwei Kilo gegeben. Um die Hälfte zuwenig!«

Wir sausten zur Küche und blieben – was doch eigentlich Jonathans Sache gewesen wäre – wie angewurzelt stehen: Jonathan war verschwunden. Mitsamt seinem Kabel.

Noch während wir zur Straße hinausstürzten, riefen wir, so laut wir konnten, seinen Namen:

»Jonathan! Jonathan!«

Keine Spur von Jonathan.

Ich rannte von Haus zu Haus und fragte unsere Nachbarn, ob sie nicht vielleicht eine hebräisch sprechende Waschmaschine gesehen hätten, die sich stadtwärts bewegte. Alle antworteten mit einem bedauernden Kopfschütteln. Einer glaubte sich zu erinnern, daß so etwas Ähnliches vor dem Postamt gestanden sei, aber die Nachforschungen ergaben, daß es sich um einen Kühlschrank handelte, der falsch adressiert war.

Nach langer, vergeblicher Suche machte ich mich niedergeschlagen auf den Heimweg. Wer weiß, vielleicht hatte in der Zwischenzeit ein Autobus den armen Kleinen überfahren, diesen städtischen Wagenlenkern ist ja alles zuzutrauen . . . Tränen stiegen mir in die Augen. Unser Jonathan, das freiheitsliebende Geschöpf des israelischen Industrie-Dschungels, hilflos preisgegeben den Gefahren der Großstadt und ihres wilden Verkehrs . . . wenn die Drehtrommel in seinem Gehäuse plötzlich aussetzt, kann er sich nicht mehr fortbewegen . . . muß mitten auf der Straße stehenbleiben . . .

»Er ist hier!« Mit diesem Jubelruf begrüßte mich die beste Ehefrau von allen. »Er ist zurückgekommen!«

Der Hergang ließ sich rekonstruieren: In einem unbewachten Augenblick war der kleine Dummkopf in den Korridor hinausgehoppelt und auf die Kellertüre zu, wo er unweigerlich zu Fall gekommen wäre. Aber da er im letzten Augenblick den Steckkontakt losriß, blieb ihm das erspart.

»Wir dürfen ihn nie mehr vernachlässigen!« entschied meine Frau. »Zieh sofort deine Unterwäsche aus! Alles!«

Seit diesem Tag wird Jonathan so lange vollgestopft, bis er mindestens viereinhalb Kilo in sich hat. Und damit kann er natürlich keine Ausflüge mehr machen. Er kann kaum noch atmen. Es kostet ihn merkliche Mühe, seine zum Platzen angefüllte Trommel in Bewegung zu setzen. Armer Kerl. Es ist eine Schande, was man ihm antut.

Gestern hat's bei mir geschnappt. Als ich allein im Haus war, schlich ich zu Jonathan und erleichterte sein Inneres um gute zwei Kilo. Sofort begann es in ihm unternehmungslustig zu zucken, und nach einer kleinen Weile war es so weit, daß er sich, noch ein wenig ungelenk hüpfend, auf den Weg zu der hübschen italienischen Waschmaschine im gegenüberliegenden Haus machte, mit männlichem, tatendurstigem Brummen und Rumpeln, wie in der guten alten Zeit.

»Geh nur, mein Jonathan.« Ich streichelte seine Hüfte. »Los!«

Was zur Freiheit geboren ist, soll man nicht knechten.

JOSEPHA, DIE FREIE

Seit unserer Übersiedlung in den südlichen Teil der Stadt, in dem sich auch die Universität befindet, sind wir zu Anhängern der akademischen Babysitter geworden. Wir holen uns vom nahe gelegenen Campus eine nette kleine Studentin, vorzugsweise philosophischer oder archäologischer Observanz, und übergeben ihr unsere Nachkommenschaft. Die Kinder gewöhnen sich rasch an die neue Aufsichtsperson, und alles ist in bester Ordnung – so lange, bis eines Tages Sand in die Maschine gerät. Die junge Dame hat plötzlich alle Abende besetzt, oder sie muß sich für Prüfungen vorbereiten, oder sie ist nur noch am Mittwoch frei, und gerade am Mittwoch hat auch Gideon seinen freien Abend, und wenn wir aus dem Theater nach Hause kommen, finden wir sie beide auf der Couch, mit vom Studium geröteten Gesichtern, und die Kissen sind zerdrückt, und Gideon fährt sich mit dem Kamm durchs wulstige Haar, und die beste Ehefrau von allen wendet sich an mich mit den Worten:

»Also bitte. Da hat sich diese kleine Schlampe doch richtig einen Kerl mitgebracht.«

Damit endet in der Regel die meteorhafte Karriere der betreffenden Babysitterin, und die nächste tritt ein.

Diesmal war es Josepha. Sie machte anfangs den denkbar besten Eindruck auf uns: so bescheiden war sie, so klein und zart, so brillentragend. Man hätte sie höchstens für 13 oder 14 gehalten, aber wie sich zeigte, hatte sie auf ihren spindeldürren Beinen bereits die 20 überschritten. Josepha war schmucklos gekleidet, um nicht zu sagen geschmacklos, sie sprach nicht eigentlich, sondern hüstelte immer sehr schnell ein paar Worte hervor, mit gesenkter Stimme und ebensolchen Augen. Zahlreiche Pickel zierten ihre bleiche Haut, ja, sie selbst wirkte im ganzen wie ein Pickel. Sie war, mit einem Wort, der Idealfall einer Babysitterin auf lange Sicht.

Und so entwickelte sich's mit Josepha in der Tat. Sie kam auf die Minute pünktlich, hüstelte ein leises »Schalom« und ließ sich im Kinderzimmer nieder, wo sie sofort anfing, den Inhalt eines ihrer Hefte in ein anderes Heft zu übertragen. Sie las nicht, sie schrieb nicht, sie übertrug nur. Das ging uns zwar ein wenig auf die Nerven, aber wir nahmen es hin. Überdies war unsere Josepha, im liebenswerten Unterschied von ihren sämtlichen Vorgängerinnen, zu jeder Zeit und jeder Stunde abkömmlich. Wann immer wir sie anriefen, wurde am anderen Ende des Drahtes ihr bescheidenes Hüsteln hörbar: »Ja, ich bin frei.«

»Können Sie heute etwas früher kommen?«

»Gewiß.«

»Und etwas länger bleiben?«

»Gerne.«

Und sie kam früher, um früher mit Ihren Übertragungen zu beginnen, still, fragil, die Augen gesenkt. Dabei blieb es auch, wenn ich sie manchmal in später Nacht mit meinem Wagen nach Hause brachte. Einmal ließ ich mich hinreißen und wollte von ihr wissen, was es auf der Universität Neues gäbe.

»Danke«, hüstelte sie. Und damit endete das verheißungsvolle Gespräch. In jeder anderen Hinsicht, ich sagte es schon, war sie der Inbegriff einer Babysitterin: zuverlässig, ruhig, immer frei, immer Josepha.

Wir respektierten sie sehr, und auch die Kinder schienen sich an die klösterliche Stille, die sie um sich verbreitete, binnen kurzem gewöhnt zu haben. Unsere gelegentlichen Einladungen zum Abendessen schlug sie mit bescheidenem, nahezu ängstlichem Kopfschütteln aus. Aß sie jemals? Hatte sie überhaupt die normalen Bedürfnisse eines normalen Menschen? Meine Frau bezweifelte es.

»Das arme Kind«, murmelte sie. »Ich finde es einfach unnatürlich, daß ein junges Mädchen in diesem Alter immer frei ist.«

Die beunruhigenden Symptome häuften sich. Ob Vormittag oder Abend oder halb drei am Nachmittag – Josepha ist stets bereit zum Babysitten und Heftübertragen. Einmal riefen wir kurz vor Mitternacht bei ihr an, als selbst die Grillen schon schliefen:

»Sind Sie frei?«

»Ja.«

»Können Sie jetzt gleich herüberkommen?«

»Ja.«

Meine Frau legte den Hörer auf; ihre Augen waren feucht:

»Es ist tragisch. Niemand kümmert sich um sie. Sie hat keinen Menschen auf der ganzen weiten Welt . . .«

Aber nach einiger Zeit begann sogar meine Frau, wen könnte es wundern, ein wenig abzustumpfen. Ihr Mitgefühl wich einer nüchternen, von Kritik nicht mehr ganz freien Einstellung.

»Etwas stimmt nicht mit dieser Person«, murrte sie. »Die muß irgendwelche Hemmungen haben. Und wer weiß, woher . . .«
Das wirkte sich in weiterer Folge auch auf ihr eigenes Seelenleben aus. Es konnte geschehen, daß sie nach einem erfolgreichen Anruf bei Josepha den Hörer hinschmiß und wütend ausrief:
»Sie ist schon wieder frei! Schon wieder!!«
In einer sturmgepeitschten Nacht, gegen drei Uhr, schlüpfte die beste Ehefrau von allen aus dem Bett und tastete sich zum Telefon:
»Sind Sie frei, Josepha?«
»Ja.«
»Jetzt?«
»Sofort.«
»Danke, es ist nicht nötig.«
Um es rundheraus zu sagen: meine Frau begann Josepha zu hassen. Sie war überzeugt, ein seelisch und geistig defektes Geschöpf vor sich zu haben. Vermutlich gingen diese Defekte auf Josephas frühe Kindheit zurück, als sie mit zwölf Jahren in der Schule saß und aussah wie sieben.
»Hier mein Lieblingsschüler«, sagte der Lehrer zum Inspektor, der das Klassenzimmer betrat, »Tirsa, die Kluge . . . Miriam, die Schöne . . . Josepha, die Freie . . .«
Sogar am Unabhängigkeitstag war sie frei. Sogar den Unabhängigkeitstag verbrachte sie mit Babysitten und Heftübertragen, bis in die späten Abendstunden.
»Jetzt wird's mir wirklich zu blöd.« Die beste Ehefrau von allen schluchzte beinahe vor Zorn. »Wieso hat diese verdammte Person keinen Freund, keinen Verehrer, keinen Liebhaber? Warum zieht sie sich so entsetzlich schlecht an? Warum wird sie ihre Pickel nicht los? Was bildet sie sich eigentlich ein?« Nicht einmal Josephas Kurzsichtigkeit wollte sie ihr glauben. Wahrscheinlich dienten die Brillen nur dem Zweck, etwaige Interessenten abzuschrecken.
Da im Befinden meiner Frau keine Besserung eintrat, konsultierte ich unseren Arzt. Auf seinen Rat lud ich den ziemlich erwachsenen Sohn eines benachbarten Ehepaars ein, uns am nächsten Abend zu besuchen.
Josepha saß da und übertrug. Der Anblick des jungen Mannes lähmte sie völlig. Als er ihr die Hand hinhielt, brachte sie mit kaum hörbarer Stimme nur ein einziges Wort hervor:

»Josepha.«

Das war alles.

Die große Wende kam in Gestalt des älteren Bruders unseres erfolglosen Erstlingsbesuchs. Er hieß Naftali, verfügte über breite Schultern und wild behaarte Beine sowie über keinerlei Respekt vor dem weiblichen Geschlecht, setzte sich dicht neben Josepha und sah ihr beim Übertragen so lange zu, bis sie damit aufhörte und sich aufs Babysitten beschränkte. Zum Schluß wechselten sie sogar ein paar Worte miteinander, und der Händedruck beim Abschied erstreckte sich über mehrere Sekunden.

»Vielleicht«, raunte mir meine vielerfahrene Ehefrau zu, »vielleicht ist das der Anfang.«

Wenige Tage später geschah es. Meine Frau fragte telefonisch bei Josepha an, ob sie frei wäre, und die Antwort lautete: »Nein.«

»Was, nein?«

»Ich habe zu tun.«

Ein Lächeln überirdischen Triumphs glitt nach Beendigung ihres Telefonats über das Antlitz meiner Frau. Ich schloß mich an. Wir beteten gemeinsam.

Von diesem Tag an besserte sich die Lage sprunghaft. Beim nächsten Anruf war es kein Hüsteln mehr, sondern eine kräftige, wenn auch noch etwas brüchige Stimme, mit der Josepha in den Hörer rief:

»Nein, leider, heute nicht. Ich bin vergeben.« (Sie sagte »vergeben«, wie ein erwachsenes Mädchen.)

»Und morgen?«

»Morgen ging es höchstens bis neun Uhr.«

Wir barsten vor Stolz. Wir hatten dem armen Ding das Leben aufgeschlossen, wir hatten die Seele einer jüdischen Jungfrau gerettet, zumindest die Seele. Glücklich und zufrieden saßen wir zu Hause, und wenn etwas unsere Zufriedenheit störte, dann war es die Tatsache, daß wir zu Hause saßen, weil wir nicht weggehen konnten. Und wir konnten nicht weggehen, weil Josepha nicht frei war. Deshalb mußten wir zu Hause sitzen. Wenn man's näher bedenkt, war das gar nicht schön von ihr. Es war geradezu niederträchtig. Ein wenig Dankbarkeit hätte man schließlich erwarten dürfen von dieser Person, die noch immer jämmerlich dahinvegetieren würde, wenn wir sie nicht aus ihrer trostlosen Existenz herausgeholt hätten. Aber nein, sie muß sich mit Männern herumtreiben.

Dem war tatsächlich so. Aus glaubwürdigen Berichten, die uns zugespielt wurden, ergab sich eindeutig, daß man Josepha und Naftali auf nächtlichen Spaziergängen beobachtet hatte.

»Eine Schlampe«, stellte die beste Ehefrau von allen mit resigniertem Nicken fest. »Wie ich schon sagte, eine ganz gewöhnliche Schlampe. Wenn irgendein Kerl pfeift, kommt sie gelaufen . . .«

Natürlich hätten wir die kleine Nymphomanin längst hinausgeworfen, aber das wäre auf den Widerstand unserer Kinder gestoßen, die sich in Josephas Obhut außerordentlich wohl fühlten. So blieb uns nichts übrig, als uns mit Josephas rücksichtslosem: »Leider, heute bin ich nicht frei« zähneknirschend abzufinden.

Eines Nachts, als wir aus dem Kino nach Hause gingen, begegneten wir einem jungen Paar. Mitten in der Nacht, mitten auf der Straße.

»Guten Abend«, sagte Josepha.

Da konnte aber die beste Ehefrau von allen nicht länger an sich halten:

»Ich dachte, Sie müßten sich für Ihre Prüfungen vorbereiten, meine Liebe?«

»Das tut sie ja auch.« Naftali warf sich zu ihrer Verteidigung auf. »Sie war heute als Babysitterin bei uns und hat die ganze Zeit studiert. Ich bringe sie gerade nach Hause.«

Damit verschwanden die beiden im nächtlichen Dunkel, Naftali mit seinen haarigen Beinen und Josepha mit den fingierten Pickeln.

Von jetzt an, das habe ich mir an Ort und Stelle zugeschworen, von jetzt an kommen mir keine solchen Geschöpfe mehr ins Haus. Bei uns werden nur noch schlanke, attraktive Blondinen ohne Komplexe zum Babysitten zugelassen.

Mein Sohn Amir steht am Rand des Schwimmbeckens und heult.

»Komm ins Wasser!« rufe ich.

»Ich habe Angst!« ruft er zurück.

Seit einer Stunde versuche ich, den kleinen Rotschopf ins Wasser zu locken, damit ihn Papi im Schwimmen unterweisen kann. Aber er hat Angst. Er heult vor lauter Angst. Auch wenn sein Heulen noch nicht die höchste Lautstärke erreicht hat – bald wird es soweit sein, ich kenne ihn.

Ich kenne ihn und bin ihm nicht böse. Nur allzu gut erinnere ich mich, wie mein eigener Papi versucht hat, mir das Schwimmen beizubringen, und wie ich heulend vor Angst am Rand des Schwimmbeckens stand. Mein Papi ist damals recht unsanft mit mir umgegangen.

Seither haben sich die Methoden der Kindererziehung grundlegend geändert und verfeinert.

Nichts liegt mir ferner, als meinem Sohn etwas aufzuzwingen, wozu er keine Lust hat. Er soll den entscheidenden Schritt aus eigenem Antrieb tun. Wie ein junger Adler, der zum erstenmal den elterlichen Horst verläßt und in majestätischem Flug durch die Lüfte zu schweben beginnt. Es braucht nur einen kleinen Stoß, den Rest besorgt dann schon die Natur. Verständnis für die kindliche Seele: darauf kommt es an. Verständnis, Güte und Liebe, sehr viel Liebe.

»Komm her, mein Kleiner«, flöte ich. »Komm her und sieh selbst. Das Wasser reicht dir kaum bis zum Nabel, und Papi wird dich festhalten. Es kann dir nichts geschehen.«

»Ich hab Angst.«

»Alle anderen Kinder sind im Wasser und spielen und schwimmen und lachen. Nur du stehst draußen und weinst. Warum weinst du?«

»Weil ich Angst hab.«

»Bist du denn schwächer oder dümmer als die anderen Kinder?«

»Ja.«

Daß er das so freimütig zugibt, spricht einerseits für seinen Charakter, andererseits nicht. Vor meinem geistigen Auge erscheint ein Schiff auf hoher See, das im Begriff ist zu sinken. Die Passagiere haben sich auf Deck versammelt und warten ruhig und diszipliniert auf die Anweisungen des Kapitäns. Nur ein untersetzter, rothaariger Mann boxt sich durch die Reihen der Kinder und Frauen, um als erster ins Rettungsboot zu gelangen. Es ist Amir Kishon, der sich geweigert hat, von seinem Papi das Schwimmen zu erlernen.

»Wovor hast du Angst, Amirlein?«

»Vor dem Ertrinken.«

»Wie kann man in diesem seichten Wasser ertrinken?«

»Wenn man Angst hat, kann man.«

»Nein, nicht einmal dann.« Ich versuche, von Psychologie auf Intellekt umzuschalten. »Der menschliche Körper hat ein spezifisches Gewicht, weißt du, und schwimmt auf dem Wasser. Ich zeig's dir.«

Papi legt sich auf den Rücken und bleibt gemächlich liegen. Das Wasser trägt ihn. Mitten in dieses lehrreiche und überzeugende Experiment springt irgendein Idiot dicht neben mir ins Wasser. Die aufspritzenden Wellen überschwemmen mich, ich schlucke Wasser, mein spezifisches Gewicht zieht mich abwärts, und mein Sohn heult jetzt bereits im dritten Gang.

Nachdem ich nicht ohne Mühe wieder hochgekommen bin, wende ich mich an den Badewärter, der den Vorgang gleichmütig beobachtet hat.

»Bademeister, bitte sagen Sie meinem kleinen Jungen, ob hier im Kinderschwimmbecken jemand ertrinken kann.«

»Selbstverständlich«, antwortet der Bademeister. »Und wie!«

So sieht die Unterstützung aus, die man von unserer Regierung bekommt. Ich bin wieder einmal ganz auf mich selbst angewiesen.

Jeder andere Vater hätte jetzt seinen Sohn mit Gewalt ins Wasser gezerrt. Nicht so ich. Ich liebe meinen Sohn trotz allen seinen Fehlern und Defekten, trotz dem mörderischen Geheul, das er jetzt aufs neue anstimmt, ich liebe ihn jetzt sogar mehr als je zuvor, weil er so zittert, weil er solche Angst hat, weil er so hilflos dasteht, so armselig, so dumm, so vertrottelt.

»Ich mach dir einen Vorschlag, Amir. Du gehst ins Wasser, ohne daß ich dich anrühre. Du gehst so lange, bis dir das Wasser an die Knie reicht. Wenn du willst, gehst du weiter. Wenn du nicht weitergehen willst, bleibst du stehen. Wenn du nicht stehenbleiben willst, steigst du aus dem Wasser. Gut?«

Amir nickt, heult und macht ein paar zögernde Schritte ins Wasser hinein. Noch ehe es ihm bis an die Knie reicht, dreht er sich um und steigt aus dem Wasser, um sein Geheul an Land wiederaufzunehmen. Dort heult sich's ja auch leichter.

»Mami!« heult er. »Mami!«

Das macht er immer. Wenn er sich meinen erzieherischen Maßnahmen widersetzen will, heult er nach Mami. Gleichgültig, ob sie ihn hören kann oder nicht.

Ich zwinge mich zu souveräner Gelassenheit und väterlicher Autorität.

»Wenn du nicht sofort ins Wasser kommst, Amir, gibt's heute kein Fernsehen.«

Sollte ich meine väterliche Autorität überzogen haben? War ich zu streng mit dem Kleinen? Er heult und rührt sich nicht. Er rührt sich nicht und heult.

Ich mache einen weiteren, diesmal praktischen Versuch.

»Es ist doch ganz einfach, Amir. Du streckst die Arme aus und zählst. Eins-zwei-drei. Schau, ich zeig's dir. Eins-zwei-dr . . .«

Es ist klar, daß man nicht gleichzeitig schwimmen und zählen kann. Niemand hat mich das gelehrt. Außerdem bin ich kein Schwimmer, sondern ein Schriftsteller. Ich kann ja auch nicht gleichzeitig schwimmen und schreiben.

Kein Mensch kann das.

Mittlerweile hat sich Amir in den höchsten Diskant gesteigert und röhrt drauflos, umringt von einer schaulustigen Menge, die mit Fingern auf seinen Vater weist. Ich springe aus dem Wasser und verfolge ihn rund um das Schwimmbecken. Endlich erwische ich ihn und zerre ihn ins Wasser. Dem Balg werde ich noch beibringen, wie man freiwillig schwimmen lernt!

»Mami!« brüllt er. »Mami, ich hab Angst!«

Das alles kommt mir irgendwie bekannt vor. Der Franzose spricht in solchen Fällen von »déjà vu«. Hat mich nicht auch mein eigener Vater ins Wasser gezerrt? Hab nicht auch ich verzweifelt nach meiner Mami gerufen? So ist das Leben. Alles wiederholt sich. Der Zusammenstoß der Generationen läßt sich nicht vermeiden. Die Väter essen saure Trauben und die Söhne heulen.

»Will nicht ins Wasser!« heult mein Sohn. »Will Mami!« Ich halte ihn auf beiden Armen, etwa einen halben Meter über dem Wasserspiegel, und schenke seiner Behauptung, daß er ertrinkt, keinen Glauben.

»Eins-zwei-drei«, kommandiere ich. »Schwimm!«
Er folgt meinen Anweisungen, wenn auch heulend. Ein Anfang
ist gemacht. Aber da ich ihn nicht das Fliegen lehren will, sondern
das Schwimmen, muß ich ihn wohl oder übel mit dem Wasser in
Berührung bringen.
Vorsichtig senke ich meine Arme abwärts. Amir beginnt zu
strampeln und schlägt wild um sich. Von Schwimmbewegungen
keine Spur.
»Schwimm!« höre ich mich brüllen. »Eins-zwei-drei!«
Jetzt hat er mich gebissen. Er beißt die Hand, die ihn nährt. Er
beißt den eigenen Vater, der für ihn sorgt und ihm nichts als Liebe
entgegenbringt.
Zum Glück bin ich noch immer stärker als er. Ich zwänge seine
Hüften in die eiserne Umklammerung meiner athletischen
Schenkel, so daß sein Oberkörper auf der Wasserfläche liegt, und
vollführe mit seinen Armen die vorgeschriebene Eins-zwei-drei-
Bewegung. Eines Tags wird er's mir danken. Eines Tags wird er
wissen, daß er ohne meine Fürsorge und meine engelsgleiche Geduld niemals die Wasser beherrscht hätte. Eines Tags wird er mich
dafür lieben.
Vorläufig tut er nichts dergleichen. Im Gegenteil, er schlägt seine
verhältnismäßig freien Fersen unablässig in meinen Rücken.
Vorne heult er, hinten tritt er. Der junge Adler will das elterliche
Nest ganz offenkundig nicht verlassen. Aber es muß sein. Trink,
Vogel, oder schwimm! Einst war auch mein Vater zwischen den
muskulösen Schenkeln meines Großvaters eingeklemmt und hat
es überstanden. Auch du wirst es überstehen, mein Sohn, das ga-
rantiere ich dir.
Durch das Megaphon schallt die Stimme des Bademeisters:
»Sie dort! Ja, Sie! Lassen Sie den Kleinen in Ruh! Sie bringen das
Kind ja in Lebensgefahr!«
Das ist typisch für die israelischen Verhältnisse. Statt einem Vater
in seinen erzieherischen Bemühungen zu helfen, statt dafür zu
sorgen, daß eine starke junge Generation heranwächst, schlagen
sich die Behörden auf die Seite einer lärmenden Minorität. Bitte
sehr. Mir kann's recht sein.
Ich steige mit dem jungen Adler ans Ufer, lasse ihn brüllen und
springe mit elegantem Schwung in die kühlen Wogen zurück, mit
einem ganz besonders eleganten Schwung, der mich kühn über die
aus dem Wasser herausragenden Köpfe hinwegträgt . . . weit hin-

aus in das Schwimmbecken . . . dorthin, wo es am seichtesten
ist . . .
Die Wiederbelebungsversuche des Badewärters hatten Erfolg.
»Unglaublich«, sagt er, indem er meine Arme sinken läßt. »Und
Sie wollen einem Kind das Schwimmen beibringen.«

»Wer ist das?« fragte ich. »Ist das der Mann, der die Bücher von Fleurs Gatten gestohlen hat?«

»Dummkopf«, antwortete die beste Ehefrau von allen. »Es ist der Cousin von Winifred, der Gattin Monts.«

»Die vom Pferd gefallen ist?«

»Das war Frances, Joans Mutter. Halt den Mund.«

Jeden Freitag sitzen wir den Forsytes gegenüber, auch Amir, der schon längst im Bett sein sollte, und jeden Freitag verstricke ich mich ausweglos im Gezweig ihres Stammbaums. Letztesmal, zum Beispiel, hatte ich die ganze Zeit geglaubt, der Maler des neuen Modells sei der Sohn von dieser . . . na, wie heißt sie doch gleich . . . also jedenfalls ein Sohn, bis Amir mich belehrte, daß es sich um den Cousin von Jolyon dem Älteren handelte. Halt den Mund.

Warum blenden sie nicht in regelmäßigen Abständen die Namen ein?

Achtung. Fleurs Gatte hält eine Rede im Unterhaus, und ich habe keine Ahnung, ob er der Sohn der vor fünf Wochen von Soames vergewaltigten Irene ist oder nicht. Obendrein dringen aus dem Zimmer unseres neu angekommenen Töchterchens Renana verdächtige Geräusche und laute Seufzer. Es ist ein wahrer Alptraum. Vielleicht hat sich das Baby in der Wiege aufgestellt und trainiert Akrobatik. Wenn sie nur nicht herunterfällt. Entsetzlicher Gedanke.

Kalter Schweiß tritt mir auf die Stirn, und meiner Frau geht es nicht anders.

»Wer ist das?« frage ich aufs neue. »Ich meine den jungen Mann, der sich in Fleur verliebt hat?«

Irgendwo in der abgedunkelten Wohnung schrillt das Telefon. Niemand rührt sich. Mit Recht. Wer während der Forsyte Saga anruft, hat sich aus dem Kreis der zivilisierten Menschheit ausgeschlossen. Vor drei Wochen wurde mir kurz nach Beginn der damaligen Fortsetzung ein Kabel zugestellt. Der Botenjunge mußte zehn Minuten lang läuten. So lange dauerte das Gespräch zwischen Soames und Irene. Es drehte sich um Joans Verlobung, wenn ich nicht irre.

»Ruhe!« brüllte ich in Richtung der Türe, hinter der sich die akustische Störung erhoben hatte. »Ruhe! Forsyte!«

Und ich konzentriere mich wieder auf den Bildschirm. Plumps! Das ominöse Geräusch eines zu Boden fallenden Körpers dringt aus Renanas Zimmer, gefolgt von lautem Weinen. Kein Zweifel: Renana ist aus der Wiege gefallen.

»Amir!« Meine Stimme zitiert in väterlicher Besorgnis. »Schau nach, was passiert ist, um Himmels willen!«

»Wozu?« antwortet ruhig mein Sohn. »Sie ist doch schon heruntergefallen.«

Eine Schande. Dieses blödsinnige Fernsehen ist ihm wichtiger als seine leibliche Schwester. Auch seine Mutter läßt es bei einem verzweifelten Händefalten bewenden. Auf dem Bildschirm streitet Soames mit einem jungen Anwalt, den ich nicht kenne.

»Und wer ist *das* schon wieder? Ist er mit Helen verwandt?«

»Mund halten!«

Der Lärm, den wir jetzt hören, kommt aus unserem ehelichen Schlafgemach. Es klingt, als würden Möbel verschoben und Glasscheiben zersplittert.

Der junge Anwalt kann unmöglich Helens Sohn sein. Der wurde ja schon vor drei Fortsetzungen überfahren. Nein, das war gar nicht er. Das war der Architekt Bossini, der damals unter die Räder kam.

»Jetzt will ich aber endlich wissen, wer das ist! Könnte es Marjories Bruder sein?«

»Sie hat keinen Bruder«, zischt die Mutter meiner Kinder. »Schau nach rechts!«

Ich warte, bis das Bild abblendet, dann werfe ich einen Blick in die angezeigte Richtung. Dort steht ein Mann. Er steht ganz ruhig, über dem Gesicht eine Maske und auf dem Rücken einen Sack, der sichtlich mit verschiedenen Gegenständen gefüllt ist.

In einem Wandelgang des Parlaments bekam Michael Mont, der Gatte Fleurs, soeben ein paar Ohrfeigen.

»Wer ist das, der ihn ohrfeigt?« fragt der Mann mit dem Sack. »Vielleicht Winifreds Gatte?«

»Machen Sie sich nicht lächerlich«, antworte ich. »Winifreds Gatte ist doch schon längst mit dieser Schauspielerin nach Amerika durchgebrannt. Mund halten.«

Mittlerweile war Soames wieder an den jungen Anwalt geraten, der ihm Saures gab.

»Was dieser arme Mensch leiden muß!« Ein Seufzer meiner Frau klang mitleiderregend durch die Dunkelheit. »Alle treten auf ihm herum.«

»Er braucht Ihnen nicht leid zu tun«, sagt eine männliche Stimme. »Erinnern Sie sich nur, wie schlecht er sich damals zu Irene benommen hat. Wer ist das?«

»Mund halten.«

Jetzt stehen bereits zwei Männer mit Säcken da.

»Setzen!« rufe ich. »Wir sehen nichts!«

Die beiden lassen sich auf dem Teppich nieder. Meine Ehe- und Fernsehgefährtin beugt sich nahe zu mir:

»Was geht hier vor?« flüstert sie. »Wer ist das?«

»Annes Bruder«, antwortet einer der beiden. »Johns zweite Frau. Pst!«

Jetzt sprechen die beiden miteinander, was gleichfalls störend wirkt. Meine Frau gibt mir durch nervöse Handzeichen zu verstehen, daß ich etwas unternehmen soll, aber das kommt unter den auf dem Bildschirm gegebenen Umständen nicht in Frage. Erst als die Haushälterin der Cousine von Soames' Schwester erscheint, eine ältliche, reizlose Frauensperson, die mich nicht weiter interessiert, schleiche ich in die Küche, um die Polizei anzurufen. Ich muß minutenlang warten. Endlich wird der Hörer abgehoben und eine verärgerte Stimme sagt:

»Wir sind beschäftigt. Rufen Sie in einer Stunde wieder an.«

»Aber in meinem Wohnzimmer sitzen zwei Räuber!«

»Hat Forsyte sie gefangen?«

»Ja. Kommen Sie sofort.«

»Nur Geduld«, sagt der diensthabende Wachbeamte.

»Wer ist das?«

Ich gebe ihm meinen Namen samt Adresse.

»Sie habe ich nicht gemeint. Bewahren Sie Ruhe, bis wir kommen.« Ich eile zur Saga zurück.

»Habe ich viel versäumt? Ist das Jolly, Hollys Bruder?«

»Trottel«, weist mich der größere der beiden Räuber zurecht. »Jolly ist in der zweiten Fortsetzung an Typhus gestorben.«

»Dann kann es nur Vic sein, der Cousin des Nacktmodells.«

»Vic, Vic, Vic . . .«

Das Quaken kommt von unserem Töchterchen Renana, die auf allen vieren aus ihrem Zimmer hervorkriecht und mein Fauteuil zu erklimmen versucht. Draußen wird eine Polizeisirene hörbar.

Einer der Räuber will aufstehen, aber in diesem Augenblick betrat Marjorie das Spital und stand gleich darauf Fleur gegenüber, von Angesicht zu Angesicht, am Bett eines Patienten, der zweifellos ein Familienmitglied war, ich wußte nur nicht, welchen Grades. Die Spannung wurde unerträglich.

Jemand klopft wie verrückt an unsere Tür.

»Wer ist das?« frage ich. »Ist das der, den sie nach Australien schicken wollten?«

»Das war Irenes Stiefvater. Mund halten.«

Die Türe wird eingebrochen. Ich habe das dunkle Gefühl, daß hinter unserem Rücken einige Polizisten hereinkommen und sich an der Wand aufstellen.

»Wer ist das?« fragt einer von ihnen. »Hollys Gatte und Vals Frau?«

»Bitte, meine Herren –!«

Nach einigem Hin und Her lehnte Fleur die ihr angebotene Versöhnung mit Marjorie ab und ging nach Hause, um Annes Bruder zu pflegen. Fortsetzung nächste Woche.

»Nicht schön von Fleur«, ließ der Polizeisergeant sich vernehmen. »Das war doch eine sehr menschliche Geste von Marjorie. Fleur hätte sich wirklich mit ihr versöhnen können. Am Sterbebett ihres Bruders!«

Von der Türe her widersprach einer der Räuber:

»Wenn Sie's wissen wollen – Marjorie ist eine Erpresserin. Außerdem war das gar nicht ihr Bruder. Es war Bicket, der Mann von Vic. Er hat die Detektive engagiert.«

»Bicket«, rief ich den gemeinsam abgehenden Gesetzeshütern und -brechern nach, »ist vor zwei Wochen in den Fernen Osten abgereist!«

»Abgereist ist Wilfred, wenn du nichts dagegen hast«, korrigierte mich hämisch die beste Ehefrau von allen.

Sie hat's nötig! Wo sie doch zwei Fortsetzungen hindurch eine lächerliche Figur abgab, weil sie der Meinung war, daß Jolyon jr. auf der Straße Luftballons verkauft hatte, ehe er in den Burenkrieg zog. Mir wird niemand etwas über die Forsytes erzählen.

Ein Schnuller namens Zezi

Obwohl Renana dem Babyalter schon entwachsen ist, will sie noch immer nicht vom Schnuller lassen. Der Doktor sagt, das sei völlig normal; angeblich erstreckt sich das Bedürfnis nach dem Schnuller durch die ganze Übergangszeit, die zwischen der Entwöhnung von der Mutterbrust und dem Beginn des Zigarettenrauchens liegt. Der Doktor sagt, daß der Schnuller als eine Art Mutter-Ersatz dient – was mir keineswegs einleuchtet, denn Mütter, soviel ich weiß, bestehen nicht aus rosa Plastikstoff mit einem Mundstück aus gelbem Gummi. Wie immer dem sei, das Phänomen des Schnullerbedürfnisses hält uns allnächtlich wach, um so wacher, als Renana nicht am Schnuller im allgemeinen hängt, sondern an einem speziellen Schnuller namens Zezi.

Dem Auge der Erwachsenen stellt sich Zezi als ganz normaler Schnuller dar: ein Massenerzeugnis der aufs Kleinkind eingestellten Massenindustrie. Aber unser rothaariges Töchterchen weigert sich, einen anderen Schnuller auch nur anzurühren.

»Zezi!« ruft sie, »Zezi« schreit sie, »Zezi« brüllt sie. Und noch einmal »Zezi!«

Schon nach dem ersten »Zezi!« geht die gesamte Belegschaft unseres Hauses in die Knie und sucht auf allen vieren nach dem gewünschten Gegenstand. Der erleichterte Ausruf des Finders ist für uns von ähnlicher Bedeutung, wie es der Ausruf »Land!« für Columbus gewesen sein mag. Sobald Zezi gefunden ist, beruhigt sich Renana in Sekundenschnelle und saugt behaglich an Zezis gelbem Mundstück, umlagert von ihren völlig erschöpften Hausgenossen.

»Ein Zeichen«, sagt der Doktor, »ein sicheres Zeichen, daß es dem Kind an elterlicher Liebe fehlt.«

Das ist eine Lüge. Wir beide, die beste Ehefrau von allen und ich, lieben Renana sehr, solange sie nicht brüllt. Es hängt nur von Zezi ab. Mit Zezi ist alles in Ordnung, ohne Zezi bricht die Hölle los. Wenn wir uns einmal dazu aufraffen, den Abend anderswo zu verbringen, verfällt die beste Ehefrau von allen beim geringsten Telefonsignal in hysterisches Zittern: Sicherlich ruft jetzt der Babysitter an, um uns mitzuteilen, daß Zezi unauffindbar und Renanas Gesicht bereits purpurrot angelaufen ist. In solchen Fällen werfen wir uns sofort ins Auto, sausen mit Schallgeschwindigkeit heimwärts, notfalls auch über die Leichen einiger Verkehrspolizisten – und müssen den Babysitter dann meistens unter vielen umgestürzten Möbelstücken hervorziehen.

Was etwa geschehen würde, wenn Zezi endgültig verlorenginge, wagen wir nicht zu bedenken.

Sehr intensiv hingegen beschäftigt uns die Frage, wieso Renana weiß, daß Zezi Zezi ist.

Eines Nachmittags, während Renana schlief, eilte ich mit dem geheiligten Schnuller in die Apotheke, wo wir ihn gekauft hatten, und verlangte ein genau gleiches Exemplar, gleiche Farbe, gleiche Größe, gleiches Herstellungsjahr. Ich erhielt ein perfektes, vom Original in keiner Weise unterscheidbares Gegenstück, eilte nach Hause und überreichte es Renana. Ihre kleinen Patschhändchen griffen danach und schleuderten es im Bogen durch die Luft: »Das hier kein Zezi! Will Zezi haben! Zezi!!«

Renanas geplagte Mutter vertrat die Ansicht, den feinen Geruchsnerven des Kleinkinds wäre ein Unterschied im Bouquet aufgefallen, der durch Zezis Abnützung entstanden sei. Nie werde ich das Gesicht des Apothekers vergessen, als ich einen Posten gebrauchter Schnuller verlangte. Es war ein durchaus abweisendes Gesicht. Uns blieb nichts anderes übrig, als eine Anzahl Schnuller in einem improvisierten Laboratorium altern zu lassen. Wir erstanden die nötigen Chemikalien, Wasserstoffsuperoxyd und dergleichen, tauchten einen Probeschnuller ein und warteten, bis er die grünliche Farbe Zezis annahm. Renana entdeckte den Schwindel sofort und brüllte nach Zezi.

»Der einzige Ausweg«, sagte der Doktor, »sind Beruhigungstropfen.«

Aber auch die halfen nichts. Als wir eines Abends in der Oper saßen, sechste Reihe Mitte, kam während einer empfindlichen Pianissimostelle der Chefbilleteur herangeschlichen und flüsterte in die Dunkelheit: »Pst! Schnuller! Pst! Schnuller!«

Wir wußten, wen er meinte, wir wußten, daß Großmutti angerufen hatte, wir kümmerten uns nicht um die Empörung und die leisen Schmerzensrufe unserer Sitznachbarn, denen wir auf die Füße stiegen, wir sausten nach Hause und fanden die alte Dame schwer atmend in einem Fauteuil. Zezi war spurlos verschwunden. Der weichgepolsterte Behälter, den wir eigens für Zezi eingerichtet hatten, war leer.

Großmama hatte schon überall nachgeschaut. Erfolglos. Auch wir schauten überall nach. Ebenso erfolglos. Jemand mußte Zezi gestohlen haben.

Unser erster Verdacht fiel auf den Milchmann, der kurz vor Großmamas Ankunft erschienen war, um sich zu erkundigen, wie viele Flaschen wir über die nahenden Feiertage brauchen würden.

Die beste Ehefrau von allen zauderte nicht, ihn trotz der späten Nachtstunde anzurufen:

»Elieser – haben Sie vielleicht einen Schnuller mitgenommen?«

»Nein«, antwortete Elieser, »ich nehme keine Schnuller mit.«

»Er lag in einem Körbchen links neben der Gehschule, und jetzt liegt er nicht mehr dort.«

»Das tut mir leid für ihn. Und was die Milch betrifft, so bleibt's bei 23 Flaschen am Mittwoch, richtig?«

Das war zwar richtig, aber nicht überzeugend. Unser Verdacht wuchs. Wir überlegten, ob wir einen Detektiv mit weiteren Nachforschungen betrauen sollten, oder besser vielleicht einen Hellseher, als plötzlich eine der nervösen Handbewegungen meiner Frau in der Ritze ihres Fauteuils auf den vermißten Edelschnuller stieß.

Wie er dort hineingekommen war, blieb ein Rätsel.

Wir fragten unseren Elektriker, ob es vielleicht eine Art Geigerzähler oder Wünschelrute oder sonst ein Instrument zur Auffindung versteckter Schnuller gäbe, aber so etwas gab es nicht.

Ein benachbarter Universitätsprofessor, der an chronischer Schlaflosigkeit litt, empfahl uns den Ankauf eines Bluthunds, wie sie von der Polizei neuerdings zum Aufspüren geschmuggelten Rauschgifts eingesetzt werden.

Ein auf Urlaub befindlicher Pilot erzählte uns, daß die Fallschirme der israelischen Jagdflieger mit kleinen Funkgeräten ausgerüstet wären, die in bestimmten Abständen »blip, blip« machten. Aber wie befestigt man ein Funkgerät an Zezi?

Wir erwogen, Zezi mit einer Metallkette an Renanas Wiege zu befestigen. Der Doktor mißbilligte unseren Plan:

»Das Kind könnte sich erwürgen. Das Kind braucht keine Kette. Das Kind braucht Liebe.«

»Ephraim«, informierte mich die beste Ehefrau von allen, »ich werde verrückt.«

In den folgenden Nächten fuhr sie immer wieder schreiend aus dem Schlaf. Bald träumte sie, daß ein Lämmergeier mit Zezi im Schnabel davongeflogen wäre, bald hatte sich Zezi selbst, wie in einem Zeichentrickfilm mit skurrilen Sprüngen entfernt, hopp – hopp – hopp.

In einer dunklen, sturmgepeitschten Neumondnacht entdeckten wir endlich Zezis Geheimnis.

Anfangs verlief alles normal. Mit dem siebenten Glockenschlag traten meine Frau und meine Schwiegermutter an den Stahltresor heran, in dem wir den mittlerweile auf 10 000 Pfund versicherten Schnuller aufbewahrten, stellten die doppelt gesicherten Kombinationen ein, öffneten den schweren Schrank mit Schlüssel und Gegenschlüssel und holten Zezi hervor. Renana, in ihrer Wiege liegend, nahm Zezi zwischen die Lippen, lächelte zufrieden und schloß die Augen. Wir entfernten uns auf Zehenspitzen.

Ein unerklärlicher Drang trieb mich zur Tür zurück und hieß mich durchs Schlüsselloch schauen.

»Weib!« flüsterte ich. »Komm her! Rasch!«

Mit angehaltenem Atem sahen wir, wie Renana vorsichtig aus ihrer Wiege kletterte, zu einem Fauteuil watschelte und Zezi im Schlitz zwischen Kissen und Lehne verschwinden ließ. Dann kehrte sie in die Wiege zurück und begann mörderisch zu brüllen.

Das Gefühl der Erlösung, das uns überkam, läßt sich nicht schildern. Wir hatten also ein ganz normales Kind. Keine Komplexe, kein ungestilltes Zärtlichkeitsbedürfnis, kein Gefühlsmanko. Sie war nicht im mindesten auf ihren Schnuller fixiert. Sie war ganz einfach darauf aus, uns zu quälen.

Der Doktor sagt, daß dieses Phänomen unter den Angehörigen der Gattung Säugetiere häufig zu beobachten ist, meistens als Folge mangelnder Elternliebe.

PEDIGREE

Eines Abends entschied die beste Ehefrau von allen, daß unsere Kinder einen Hund haben wollen. Ich lehnte ab.

»Schon wieder?« fragte ich. »Wir haben das doch schon einmal besprochen, und ich habe schon einmal nein gesagt. Erinnere dich an unseren Zwinji, er ruhe in Frieden, und an seine Leidenschaft für den roten Teppich!«

»Aber da die Kinder so gerne –«

»Die Kinder, die Kinder. Wenn ein Hund erst einmal im Haus ist, gewöhnen wir uns an ihn und werden ihn nie wieder los.«

Eine pädagogische Fühlungnahme mit unserer Nachkommenschaft hatte wildes Geheul von seiten Amirs und Renanas zur Folge, aus dem nur die ständig wiederholten Worte »Papi« und »Hund« etwas deutlicher hervordrangen.

Infolgedessen entschloß ich mich zu einem Kompromiß.

»Schön«, sagte ich, »ich kaufe euch einen Hund. Was für einen?«

»Einen reinrassigen«, erklärte die beste Ehefrau von allen an Kindes Statt. »Mit Pedigree.«

Daraus schien hervorzugehen, daß sie über den bevorstehenden Ankauf bereits unsere Nachbarn konsultiert hatte, deren reinrassige Monster mit Pedigree die Gegend unsicher machen. Jetzt erinnerte ich mich auch der mitleidigen Blicke, mit denen man mich seit einigen Tagen straßauf, straßab betrachtete.

»Ich will«, fuhr die Mutter meiner Kinder fort, »weder eines dieser unförmigen Kälber, die das ganze Haus auf den Kopf stellen, noch irgendein Miniaturerzeugnis, das eher einer Ratte ähnlich sieht als einem Hund. Außerdem müssen wir bedenken, daß junge Hunde überall hinpinkeln und alte Hunde Asthma haben. Man muß also sehr genau auf das Pedigree achten. Wir brauchen ein edel gebautes Tier, das wohltönend bellt und keinen Lärm macht. Gutgeformte Beine, glattes Fell, einfarbige Schnauze, zimmerrein, folgsam. Auf keinen Fall weiblich, weil Hündinnen alle paar Monate läufig werden. Auch männlich nicht, denn männliche Hunde sind ständig hinter den Hündinnen her. Kurzum, etwas Reinrassiges mit möglichst vielen Preisträgern im Stammbaum.«

»Das ist der Hund, den unsere Kinder haben wollen?« fragte ich.

»Ja«, antwortete die beste Ehefrau von allen.

Ich machte mich auf den Weg. Als ich am Postamt vorbeikam, fiel mir ein, daß ich Briefmarken brauchte. Vor mir in der Schlange stand ein Mann, der von starkem Husten geplagt wurde und sich ständig umwandte. Offenbar zog er aus meiner sorgenvollen Miene den richtigen Schluß. Er hätte ein Hündchen zu verkaufen, sagte er, wir könnten es gleich besichtigen, er wohne um die Ecke. Im Garten seines Hauses zeigte er mir das angebotene Objekt. Es lag in einer Schuhschachtel, hatte ein lockiges Fell, krumme Beine und eine schwarze Schnauze mit rosa Punkten. Das Hündchen saugte gerade an seinem kleinen Schweif, stellte jedoch diese Tätigkeit bei meinem Anblick sofort ein, sprang bellend an mir empor und leckte meine Schuhe. Es gefiel mir auf den ersten Blick.

»Wie heißt der Hund?« fragte ich.

»Wie Sie wollen. Sie können ihn haben.«

»Ist er reinrassig?«

»Er vereinigt sogar mehrere reine Rassen in sich. Wollen Sie ihn haben oder nicht?«

Um den Mann nicht weiter zu verärgern, bejahte ich. Und der Hund gefiel mir, das habe ich ja schon gesagt.

»Wieviel kostet er?«

»Nichts. Nehmen Sie ihn nur mit.« Er wickelte das Tierchen in Zeitungspapier ein, legte es in meinen Arm und schob uns beide zum Garten hinaus.

Schon nach wenigen Schritten gedachte ich meines Eheweibs und hielt jählings inne. Das war, so durchfuhr es mich, das war nicht ganz der Hund, über den wir gesprochen hatten. Wenn ich ihr mit diesem Hund vor die Augen trete, gibt es eine Katastrophe. Ohne Zaudern trug ich ihn zu seinem früheren Besitzer zurück.

»Darf ich ihn später abholen?« fragte ich mit gewinnendem Lächeln. »Ich habe in der Stadt verschiedene Besorgungen zu machen und möchte ihn nicht die ganze Zeit mit mir herumschleppen.«

»Hören Sie«, antwortete der frühere Besitzer, nachdem er einen kleineren Hustenanfall überwunden hatte. »Ich zahle Ihnen gern ein paar Pfund drauf, wenn Sie nur –«

»Nicht nötig. Das Tier gefällt mir. In ein paar Stunden bin ich wieder da, machen Sie sich keine Sorgen.«

»Nun?« fragte die beste Ehefrau von allen, »hast du etwas gefunden?«

Auf so primitive Tricks falle ich natürlich nicht herein.

»Einen Hund kauft man nicht im Handumdrehen«, antwortete ich kühl. »Ich habe mich mit mehreren Fachleuten beraten und mehrere Angebote erhalten, darunter einen Scotchterrier und zwei Rattler. Aber sie waren mir nicht reinrassig genug.«
Obwohl ich der Existenz reinrassiger Rattler keineswegs sicher war und mich in Sachen Reinrassigkeit überhaupt nicht gut auskenne, hatte ich meine Gattin zumindest überzeugt, daß ich nicht blindlings einkaufen würde, was man mir anbot. Sie zeigte sich beruhigt.
»Nur keine unnötige Hast«, sagte sie. »Laß dir Zeit. Wie oft im Leben kauft man schon einen Hund.«
Ich stimmte eifrig zu.
»Eben. So etwas will in Ruhe überlegt sein. Wenn es dir recht ist, möchte ich noch einigen Zeitungsannoncen nachgehen.«
Unter dieser Vorspiegelung verließ ich am folgenden Tag das Haus, begab mich an den Strand, schaukelte auf den Wellen und spielte einige Partien Tischtennis. Zu Mittag auf dem Heimweg machte ich einen raschen Besuch bei meinem Hündchen.
Sein fröhliches Bellen mischte sich reizvoll mit dem trockenen Husten seines Besitzers, der mir das Tier sofort wieder aufladen wollte. Ich wehrte ab:
»Morgen. Heute geht's nicht. Heute wird unsere ganze Familie gegen Tollwut geimpft, und da möchte ich den Hund nicht nach Hause bringen. Morgen, spätestens übermorgen. Sie sehen, daß ich ihn haben will. Sonst wäre ich ja nicht gekommen.«
Und ich entfernte mich eilends.
»Diese Zeitungsannoncen«, erklärte ich meiner wartenden Gattin, »sind nicht einmal ihre Druckerschwärze wert. Du würdest gar nicht glauben, was für Wechselbälger man mir gezeigt hat.«
»Zum Beispiel?« Ihr Tonfall hatte etwas Inquisitorisches, als wollte sie mich in die Enge treiben. Sie vergaß, daß sie einen schöpferischen, phantasievollen Menschen vor sich hatte.
»Das Beste war noch ein Yorkshirepudel in Ramat Gan«, antwortete ich bedächtig. »Aber sein Pedigree reicht nur vier Generationen zurück. Außerdem wurde ich den Eindruck nicht los, daß er das Ergebnis einer Inzucht wäre.«
»Das ist bei Hunden nichts Außergewöhnliches«, klang es mir sarkastisch entgegen.
»Für mich kommt so etwas nicht in Frage!« Es war an der Zeit, meine Autorität hervorzukehren. »Ich, wenn du nichts dagegen

hast, stelle mir unter Reinrassigkeit etwas ganz Bestimmtes vor, und dabei bleibt's. Entweder finde ich ein wirklich aristokratisches Geschöpf, oder aus der ganzen Sache wird nichts!«

Die beste Ehefrau von allen blickte bewundernd zu mir auf, was sie schon lange nicht mehr getan hatte.

»Wie recht du doch hast«, flüsterte sie. »Ich habe dich unterschätzt. Ich dachte, du würdest den ersten besten Straßenköter nach Hause bringen, der dir über den Weg läuft.«

»Ach so?« Zornbebend fuhr ich sie an. »Jetzt sind wir zwölf Jahre verheiratet, und du kennst mich noch immer nicht! Damit du's nur weißt: Morgen fahre ich nach Haifa zu Doktor Munczinger, dem bekannten Fachmann für deutsche Schäferhunde . . .«

Am nächsten Morgen suchte ich ohne weitere Umwege meinen Hustenfreund auf, um mit Franzi – so nannte ich das Hündchen inzwischen – ein wenig zu spielen. Franzi zerfetzte mir vor lauter Wiedersehensfreude beinahe den Anzug. Ich begann ihm einige Grundregeln der guten Hundesitten beizubringen – das Überspringen von Hürden, das Aufspüren von Verbrechern und dergleichen. Leider ließ es nicht nur Franzi an der erforderlichen Gelehrigkeit missen. Auch sein hustender Herr legte ein äußerst widerspenstiges Betragen an den Tag und drohte mir die fürchterlichsten Konsequenzen an, wenn ich diese verdammte Hündin auch diesmal nicht mitnähme. »Entschuldigen Sie«, unterbrach ich sein Fluchen. »Sagten Sie Hündin?«

»Hündin«, wiederholte er, »und hinaus mit ihr.«

Der flehende Blick, mit dem Franziska mich ansah, schien zu besagen: »So nimm mich doch endlich zu dir!«

»Ich arbeite daran«, gab ich ihr mittels Augensprache zu verstehen. »Nur noch ein wenig Geduld.«

Erschöpft von den Strapazen der Autofahrt nach und von Haifa ließ ich mich zu Hause in einen Fauteuil fallen.

»Ich war bei Doktor Munczinger. Er hat mir ein paar recht ansprechende Exemplare vorgeführt, aber es war nichts wirklich Perfektes darunter.«

»Gehst du da nicht ein wenig zu weit?« erkundigte sich die beste Ehefrau von allen. »Es gibt nichts wirklich Perfektes auf Erden.«

»Sei nicht kleinmütig, Weib!« gab ich zurück. »Ich habe mich entschlossen, ein garantiert reinrassiges Prachtstück aus einer berühmten Schweizer Zucht zu kaufen.«

»Und die Kosten?«

»Frag nicht. Faule Kompromisse sind nicht meine Art. Es handelt sich um einen dunkelweißen Zwergschnauzer, der väterlicherseits auf Friedrich den Großen zurückgeht und mütterlicherseits auf Exzellenz von Stuckler. Ein wahrhaft adeliges Tier, mit leichter Neigung zur Farbenblindheit.«

»Großartig. Und bist du ganz sicher, daß man dich nicht betrügt?«

»Mich betrügen? Mich? Ich habe alles Erdenkliche vorgekehrt. Das Tier wird vom Flughafen direkt zur Prüfungsstelle gebracht, wo seine Dokumente einer eingehenden Kontrolle unterzogen werden. Dann werden sich zwei Schnauzer-Spezialisten mit ihm beschäftigen. Und wenn sein Schweif auch nur einen halben Zentimeter aufwärts deutet, geht die Sendung zurück.«

»Soviel ich weiß, sollen Hundeschweife nicht abwärts deuten . . .«

Es war ein zaghafter Einwand, aber er brachte mich schier zur Raserei:

»Nicht immer! Durchaus nicht immer! Es gibt Fälle, in denen das Gegenteil zutrifft. Und ein Schweizer Zwergschnauzer ist ein solcher Fall.«

Meine Worte stießen auf ein Achselzucken, das mir nicht recht behagte. Aber ich ließ mich vom nun einmal eingeschlagenen Weg nicht abbringen.

Die folgenden drei Tage waren schwierig. Das Mißtrauen meiner Gattin wuchs im gleichen Ausmaß und mit der gleichen Geschwindigkeit wie das Mißtrauen des Hunde- und Husteninhabers. Er wollte nichts davon hören, daß ich Franziskas Heimkunft auf den Geburtstag meiner kleinen Tochter abzustimmen wünschte, bezichtigte mich fauler Ausreden, erging sich in wüsten Beschimpfungen meiner Person und warf mir die arme Franzi, als ich mich indigniert entfernte, über den Gartenzaun nach. Ich streichelte sie zur Beruhigung, warf sie zurück und rannte um mein Leben.

Inzwischen hatte auch die beste Ehefrau von allen ihr Reservoir an Geduld restlos aufgebraucht. Als ich ihr verständlich zu machen suchte, daß Franziskas Autobiographie soeben vom Genealogischen Institut in Jerusalem überprüft würde, hieß sie mich einen lächerlichen Pedanten und verlangte gebieterisch, nun endlich das Ergebnis meiner langwierigen Bemühungen zu sehen.

Franzi wartete vor dem Zaun. Ihr Besitzer hatte sie zwischen zwei Hustenanfällen endgültig davongejagt. Ich kaufte ihr ein Lederhalsband mit hübscher Metallverzierung und brachte sie nach Hause, um sie meiner Familie vorzustellen:

»Franzi. Direkt aus der Schweiz.«

Es war das erstemal, daß ein reinrassiger, eigens aus dem Ausland herbeigeholter Zwergschnauzer unser Haus betrat. Die Wirkung war fulminant.

»Ein wunderschönes Tier«, säuselte die beste Ehefrau von allen. »Wirklich, es hat sich gelohnt, so lange zu warten.«

Auch die Kinder freundeten sich sofort mit Franzi an. Sie wurde im Handumdrehen zum Liebling der ganzen Familie. Und sie erwidert die Zuneigung, die man ihr entgegenbringt. Ihr Schweifchen ist pausenlos in freudiger Bewegung, aus ihren kleinen Augen funkelt unglaubliche Klugheit. Manchmal hat man das Gefühl, als würde sie in der nächsten Sekunde zu sprechen beginnen.

Ich kann nur hoffen, daß dieses Gefühl mich täuscht.

HUNDSTAGE

Franzi begann plötzlich Interesse an Hunden zu zeigen, sprang am Fenster hoch, wenn draußen einer vorbeiging, wedelte hingebungsvoll mit dem Schwanz, ja, manchmal ließ sie sogar ein zweideutiges Bellen hören. Und siehe da: Draußen vor dem Fenster versammelten sich nach und nach sämtliche männlichen Hunde der Umgebung, wedelnd, winselnd, schnuppernd, als suchten sie etwas. Zulu, der riesige deutsche Schäferhund, der am andern Ende der Straße lebt, drang eines Tags über die rückseitig gelegene Terrasse sogar in unser Haus ein und wich erst der Gewalt.

Wir wandten uns an Dragomir, den international bekannten Hundetrainer aus Jugoslawien, der sich eine Zeitlang auch mit Franzi beschäftigt hatte. Er klärte uns auf:

»Warum Sie aufgeregt weshalb? Hündin ist läufig?«

»Hündin ist was?« fragte ahnungslos die beste Ehefrau von allen, die sich in der einschlägigen Terminologie nicht auskennt. »Wohin will sie laufen?«

Dragomir nahm seine Zuflucht zur Kinder- und Gebärdensprache:

»Kutschi-mutschi. Weibi braucht Manndi. Kopulazija hopphopp.«

Nachdem wir dieses Gemisch aus Kroatisch und Kretinisch dechiffriert hatten, wußten wir Bescheid.

Auch unseren Kindern war mittlerweile etwas aufgefallen.

»Papi«, fragte mein Sohn Amir, »warum will Franzi zu den anderen Hunden hinaus?«

»Sohn«, antwortete Papi, »sie will mit ihnen spielen.«

»Wirklich? Und ich hatte schon geglaubt, daß sie miteinander den Geschlechtsverkehr ausüben wollen.«

Ich gebe Amirs Äußerung in umschriebener Form wieder. Tatsächlich gebrauchte er ein wesentlich kürzeres Wort, das man in einer kultivierten Familiengemeinschaft nach Möglichkeit vermeiden sollte.

Die Zahl der Franzi-Verehrer vor unserem Haus wuchs dermaßen an, daß wir uns nur noch mit eingelegtem Besen den Weg auf die Straße bahnen konnten. Wir bekämpften die liebestrunkenen Horden unter Franzis Fenster mit Wasserkübeln, wir traten sie mit F ißen, wir zogen quer durch unseren Garten einen rostigen Drahtverhau (der von den leidenschaftlich Liebenden in Minutenschnelle durchbissen wurde), und einmal warf ich sogar einen Pflasterstein nach Zulu. Er warf ihn sofort zurück.

Währenddessen stand Franzi am Fenster und barst vor Erotik.

»Papi«, sagte mein Sohn Amir, »warum läßt du sie nicht hinaus?«

»Das hat noch Zeit.«

»Aber du siehst doch, daß sie hinaus will. Sie möchte endlich einmal . . .«

Wieder kam jener abscheuliche Ausdruck. Aber ich ließ mich nicht umstimmen: »Nein. Erst wenn sie verheiratet ist. In meinem Haus achtet man auf gute Sitten, wenn du nichts dagegen hast.«

Mutter Natur scheint jedoch ihre eigenen Gesetze zu haben. Die Hunde draußen jaulten im Chor und begannen miteinander um die noch nicht vorhandene Beute zu raufen. Franzi stand am Fenster und winkte. Sie aß nicht mehr und trank nicht mehr und schlief nicht mehr. Schlief sie jedoch, dann war ihr Schlaf voll von erotischen Träumen. Und in wachem Zustand ließ sie erst recht keinen Zweifel daran, worauf sie hinauswollte.

»Hure!« zischte die beste Ehefrau von allen und wandte sich ab.

Damit tat sie natürlich unrecht (und wer weiß, was da an weiblichen Urinstinkten mit hineinspielte). Franzi war eben zu schön. Kein richtiger männlicher Hund konnte ihrer erotischen Ausstrahlung, dem Blitzen ihrer Augen und der Anmut ihrer Bewegungen widerstehen. Und erst das silbergraue, langhaarige Fell! Sollte es daran liegen? Wir beschlossen, Franzi scheren zu lassen, um sie vor den Folgen ihres Sexappeals zu retten, und setzten uns mit einer bewährten Hundeschuranstalt in Verbindung. Am nächsten Tag erschienen zwei Experten, kämpften sich durch die Hundehorden, die unseren Garten besetzt hielten, hindurch und nahmen Franzi mit sich. Franzi wehrte sich wie eine Mini-Löwin, ihre Verehrer bellten und tobten und rannten noch kilometerweit hinter dem Wagen her.

Wir saßen zu Hause, von Gewissensbissen gepeinigt.

»Was hätte ich tun sollen?« seufzte ich. »Sie ist ja noch viel zu jung für solche Sachen . . .«

Franzi kam nicht mehr zurück. Was uns am nächsten Tag zurückgestellt wurde, war eine mißgestaltete, rosafarbene Maus. Ich hätte nie gedacht, daß Franzi innen so klein war. Und Franzi schien die schmähliche Verwandlung, der man sie unterzogen hatte, selbst zu merken. Sie sprach kein Wort mit uns, sie wedelte nicht, sie starrte reglos zum Fenster hinaus.

Und was geschah?

Unser Garten konnte die Menge der Hunde, die herangestürmt kamen, nicht mehr fassen. Sie rissen das Gitter nieder, rasten umher und sprangen mit speichelnden Lefzen an der Mauer des Hauses empor, um in Franzis Nähe zu gelangen. Waren es zuvor nur die Hunde unseres Wohnviertels gewesen, so kamen jetzt alle Hunde der Stadt, des Landes, des Vorderen Orients. Sogar zwei Eskimohunde waren darunter; sie mußten sich von ihrem Schlitten losgerissen haben und waren direkt vom Nordpol herbeigeeilt.

Kein Zweifel: In ihrem jetzigen Zustand war Franzi so sexy wie nie zuvor. Denn sie war nackt. Sie lag im Fenster und bot sich nackt den Blicken ihrer gierigen Verehrer dar. Aus unserem Haus war ein Eros-Center geworden.

Als einer der wildesten Freier, eine wahre Straßenraupe von einem Vieh, mit einem Hieb seiner mächtigen Tatze unsere Türklinke herausriß, riefen wir die Polizei, ehe die anderen Hunde die Telefonleitung durchbeißen konnten. Die Polizei war besetzt. Und wir besaßen keine Raketen, um Notsignale zu geben.

Immer enger schloß sich der Ring der Belagerer um unser Haus. Rafi, mein ältester Sohn, schlug vor, die Gartensträucher anzuzünden und unter Feuerschutz den Rückzug ins nahe gelegene Postamt anzutreten, wo wir vielleicht Verbindung zur Polizei bekämen. Aber dazu hätten wir ja das Haus verlassen müssen, und das wagten wir nicht mehr.

Plötzlich stand Zulu, der den Weg über das Dach genommen haben mußte, mitten in der Küche und verwickelte mich in einen brutalen Zweikampf. Aus seinen Augen blitzte der wilde Entschluß, zuerst Franzi zu vergewaltigen und hernach mit mir abzurechnen. Franzi lief schweifwedelnd um uns herum und bellte für Zulu. Die Mitglieder unserer kleinen Familie suchten Deckung hinter den umgestürzten Möbeln.

Von draußen die Hunde rückten näher und näher.

»Mach Schluß«, kam keuchend die Stimme meiner totenblassen Ehefrau. »Gib ihnen Franzi.«

»Niemals«, keuchte ich zurück. »Ich lasse mich nicht erpressen.« Und dann – noch jetzt, da ich's niederschreibe, zittert meine Hand vor Erregung –, gerade als wir unsere letzte Munition verschossen hatten und das Ende unabwendbar herandrohte – dann hörte das Bellen mit einemmal auf, und die Hundehorden verschwanden. Vorsichtig steckte ich den Kopf zur Türe hinaus und legte die Hand ans Ohr, um das schmetternde Trompetensignal der herangaloppierenden Kavallerie zu vernehmen, die bekanntlich immer im letzten Augenblick eintrifft, um die Siedler vor dem Skalpiermesser zu retten . . . Aber ich konnte keine Spur einer organisierten Rettungsaktion entdecken.

Allem Anschein nach handelte es sich um ein ganz gewöhnliches Wunder.

Am nächsten Tag erklärte uns Dragomir, was geschehen war: »Sie wissen? Sie wissen nicht. In ganzer Stadt auf einmal alle Hündinnen läufig. Kommt vor. Und sofort alles gut.«

Seither herrscht in unserem Alltag ganz normale Eintönigkeit. Aus Franzi, der rosafarbenen Maus, ist wieder eine Hündin mit weißem Fell geworden, die sich nur für Menschen interessiert. Für die Hunde der Nachbarschaft hat sie kein Auge mehr und vice versa. Als Zulu an unserem Haus vorüberkam, drehte er sich nicht einmal um.

Woher unter diesen Umständen die kleinen Import-Schnauzer kommen, die Franzi erwartet, wissen wir nicht.

Die grosse Steak-Saga

Die folgende Geschichte wäre niemals geschrieben worden, hätte
es in dem vor kurzem eröffneten Restaurant Martin & Maiglock
nicht diese riesenhaften Steaks gegeben, die wie eine gezielte De-
monstration gegen die Sparmaßnahmen unseres Ernährungsmi-
nisters aussahen. Wir – die beste Ehefrau von allen, die drei Kinder
und ich – nehmen unser Mittagessen jeden Samstag bei Martin
& Maiglock ein, und jeden Samstag stellen sie diese fünf Riesen-
portionen vor uns hin. Beim erstenmal glaubte ich noch an einen
Irrtum oder an eine ausnahmsweise erfolgende Kundenwerbung.
Aber es war, wie sich alsbald erwies, keine Ausnahme. Es war die
Regel, und sie macht besonders den Kindern schwer zu schaffen.
Verzweifelt starren sie auf ihre Teller, die nicht leer werden wol-
len: »Mami, ich kann nicht mehr . . .«
Oder sie weinen stumm vor sich hin.
Und es ist ja wirklich zum Heulen, auch für die Erwachsenen.
Denn die Steaks im Restaurant Martin & Maiglock sind von erle-
sener Güte, und man wird ganz einfach trübsinnig bei dem Gedanken, daß man bestenfalls die Hälfte aufessen kann und die andere Hälfte zurücklassen muß. – Muß man?
»Warum nehmen wir den Rest nicht mit nach Hause?« flüsterte
eines Samstags die beste Ehefrau von allen. »Mehr als genug für
ein ausgiebiges Nachtmahl!«
Sie hatte recht. Es fragte sich nur, wie ihr hervorragender Plan zu
verwirklichen wäre. Schließlich kann man sich nicht mit Händen
voller Steaks aus einem dicht gefüllten Restaurant entfernen. Andererseits erinnere ich mich mit Schaudern an jene halbe Portion
Hamburger, die ich einmal in eine Papierserviette eingewickelt
und achtlos in meine hintere Hosentasche gesteckt hatte. Auf dem
Heimweg tätigte ich einen kleinen Einkauf, wollte zahlen, griff
nach meiner Geldbörse und zog eine unappetitliche, klebrige,
senfdurchtränkte Breimasse hervor . . . Nein, dergleichen sollte
mir nie wieder passieren. Keine Schmuggelversuche. Alles muß
streng legal vor sich gehen.
Ich rief Herrn Maiglock an den Tisch:
»Hätten Sie wohl die Freundlichkeit, diese Überbleibsel einzupak-
ken? Für unseren Hund!«

Während ich mich noch über das Raffinement freute, mit dem ich Franzi, unsere rassige Wechselbalg-Hündin, als Tarnung vorgeschoben hatte, kam Herr Maiglock aus der Küche zurück. In der Hand trug er einen gewaltigen Plastikbeutel, im Antlitz ein freundliches Lächeln:

»Ich hab' noch ein paar Knochen dazugetan«, sagte er.

Es müssen mindestens 15 Pfund Elefantenknochen gewesen sein, vermehrt um allerlei Leber- und Nierengewächs und was sich sonst noch an Speiseresten in den Abfallkübeln des Restaurants Martin & Maiglock gefunden hatte.

Wir nahmen den Sack unter lebhaften Dankesbekundungen entgegen, leerten ihn zu Hause vor Franzi aus und flüchteten.

Franzi verzehrte den anrüchigen Inhalt mit großem Appetit. Nur die Steaks ließ sie stehen.

Am folgenden Wochenende, um einiges klüger geworden, änderte ich meine Strategie:

»Herr Maiglock, bitte packen Sie das übriggebliebene Fleisch für unseren Hund ein. Aber geben Sie bitte nichts anderes dazu.«

Das war ein einfacher, leicht zu erfüllender Wunsch, sollte man meinen.

Man meint falsch.

»Warum nichts anderes?« erkundigte sich Herr Maiglock. »In unserer Küche wimmelt es von Leckerbessen für Ihren vierbeinigen Liebling!«

Ich erklärte ihm die Sachlage:

»Unsere Franzi ist ein sehr verwöhntes Tier. Sie will nur Steaks haben. Nichts als Steaks. Vom Grill.«

An dieser Stelle mischte sich vom Nebentisch her ein lockiger Gelehrtenkopf ins Gespräch:

»Sie machen einen schweren Fehler, mein Herr. Sie verpassen dem armen Tier eine denkbar ungeeignete Nahrung.«

Der Lockenkopf gab sich als Veterinär zu erkennen und setzte, meiner Proteste nicht achtend, seinen Vortrag laut hörbar fort:

»Das Abträglichste für das Verdauungssystem eines Hundes ist gegrilltes oder gebratenes Fleisch. Wahrscheinlich wird Ihr Hund daraufhin nicht mehr wachsen. Zu welcher Rasse gehört er?«

»Es ist ein Zwergpudel«, replizierte ich hämisch. »Und außerdem eine Hündin.«

Damit kehrte ich meinem Quälgeist den Rücken und bat Herrn

Maiglock, die Steaks, wenn er uns denn unbedingt noch etwas anderes mitgeben wollte, gesondert zu verpacken.

Alsbald brachte Herr Maiglock die sorgfältig in Zeitungspapier eingewickelten Steaks.

»Was soll das?« brüllte ich ihn an. »Haben Sie keinen Plastikbeutel?«

»Wozu?« fragte Herr Maiglock.

Ich schwieg. Wie sollte ich diesem Idioten begreiflich machen, daß ich keine Lust auf Steaks hatte, an denen noch die Reste eines Leitartikels über Kissingers Verhandlungen mit Sadat klebten.

Auf der Heimfahrt schleuderte ich das Zeitungspaket zum Wagenfenster hinaus.

Aber so leicht gebe ich nicht auf. Am nächsten Samstag erschienen wir mit unserem eigenen Plastikbeutel, und der lockenköpfige Veterinär mußte in hilflosem Zorn mit ansehen, wie wir das schädliche Material in hygienisch einwandfreier Verpackung forttrugen.

Es reichte für drei Tage und drei Nächte. Wir hatten Steak zum Abendessen, Steak zum Mittagmahl, Steak zum Frühstück. Franzi lag daneben, beobachtete uns aufmerksam und verschmähte die ihr zugeworfenen Happen.

»Ephraim«, seufzte die beste Ehefrau von allen, als wir am Samstag wieder bei Martin & Maiglock Platz nahmen, »Ephraim, ich kann kein Steak mehr sehen, geschweige denn essen.«

Sie sprach mir aus der Seele, die Gute, aus der Seele und aus dem Magen.

Auch die Kinder klatschten in die Hände, als wir Schnitzel bestellten. Und wir bestellten sie sicherheitshalber bei Herrn Martin.

Herr Maiglock, der liebenswürdige Kretin, ließ sich dadurch in keiner Weise beirren: Nach vollzogener Mahlzeit brachte er einen prall mit Steakresten gefüllten Plastiksack angeschleppt.

»Für Franzi!« sagte er.

Von da an konfrontierte uns allsamstäglich das Problem, wie wir die sinnlosen Angebinde loswerden sollten. Man kann ja auf die Dauer nicht durch die Stadt fahren und Fleischspuren hinter sich lassen. Über kurz oder lang erscheint dann in einer führenden Literaturzeitschrift eine Glosse mit der Überschrift: »Fleischer oder Schreiber?«

Endlich hatte ich den erlösenden Einfall. Kaum saßen wir an unserem Samstagmittagstisch, wandte ich mich mit trauriger Miene und ebensolcher Stimme an Herrn Maiglock:

»Bitte keine Steaks mehr. Franzi ist tot.«

In tiefem Mitgefühl drückte mir Herr Maiglock die Hand.

Am Nebentisch aber erhob sich der Hundefutterfachmann und stieß einen empörten Schrei aus:

»Sehen Sie! Ich hatte Sie gewarnt! Jetzt haben Sie das arme Tier umgebracht!«

Rafi, unser Ältester, murmelte etwas von einem Verkehrsunfall, dem Franzi zum Opfer gefallen sei, aber das machte die Sache nicht besser. Die Stimmung war gegen uns. Wir schlangen unsere Mahlzeit hinunter und schlichen mit schamhaft gesenkten Köpfen davon. Auf dem Heimweg fühlten wir uns wie eine Bande von Mördern. Wäre Franzi tot auf der Schwelle unseres Hauses gelegen – es hätte uns nicht überrascht.

Zum Glück empfing sie uns mit fröhlichem Gebell, wie immer. Es war alles in bester Ordnung.

Eine Zeitlang blieb es dabei. Wir lebten friedlich dahin, unbeschwert von Steakproblemen jeglicher Art. Es gibt ja auch noch andere Restaurants als Martin & Maiglock.

»Eigentlich könnten wir wieder einmal zu Martin & Maiglock gehen«, ließ sich am letzten Samstag die beste Ehefrau von allen vernehmen, beiläufig und absichtslos.

»Ja«, bestätigte ich. »Warum eigentlich nicht. Dort bekommt man sehr gute Steaks.«

Schlimmstenfalls werden wir Herrn Maiglock mitteilen, daß wir uns einen neuen Hund gekauft haben.

VERSCHLÜSSELT

Zum Nachmittagstee kamen die Lustigs, die wir eingeladen hatten, und brachten ihren sechsjährigen Sohn Schragele mit, den wir nicht eingeladen hatten.

Offen gesagt: wir schätzen es nicht besonders, wenn Eltern immer und überall mit ihrer keineswegs immer und überall erwünschten Nachkommenschaft auftreten. Indessen erwies sich Schragele als ein netter, wohlerzogener Knabe, obwohl es uns ein wenig enervierte, daß er sich pausenlos in sämtlichen Räumen unseres Hauses herumtrieb.

Wir saßen mit seinen Eltern beim Tee und unterhielten uns über alles mögliche, angefangen von den amerikanischen Mondflügen bis zur Krise des israelischen Theaters. Es waren keine sehr originellen Themen, und die Konversation plätscherte eher mühsam dahin.

Plötzlich hörten wir – ich möchte mich gerne klar ausdrücken, ohne den guten Ton zu verletzen – hörten wir also, daß Schragele, nun ja, die Wasserspülung unserer Toilette in Betrieb setzte.

An sich wäre das nichts Außergewöhnliches gewesen. Warum soll ein gesundes Kind im Laufe eines Nachmittags nicht das Bedürfnis verspüren, auch einmal . . . man versteht, was ich meine . . . und warum soll es nach vollzogenem Bedürfnis nicht die Wasserspülung . . . wie gesagt: das ist nichts Außergewöhnliches.

Außergewöhnlich wurde es erst durch das Verhalten der Eltern. Sie verstummten mitten im Satz, sie verfärbten sich, sie sprangen auf, sie schienen von plötzlichen Krämpfen befallen zu sein, und als Schragele in der Türe erschien, brüllten sie beide gleichzeitig:

»Schragele – was war das?«

»Der Schlüssel zum Kleiderschrank vom Onkel«, lautete die ruhig erteilte Auskunft des Knaben.

Frau Lustig packte ihn an der Hand, zog ihn unter heftigen Vorwürfen in die entfernteste Zimmerecke und ließ ihn dort mit dem Gesicht zur Wand stehen.

»Wir sprechen nur ungern darüber.« Herr Lustig konnte dennoch nicht umhin, sein bekümmertes Vaterherz mit gedämpfter Stimme zu erleichtern. »Schragele ist ein ganz normales Kind – bis auf diese eine, merkwürdige Gewohnheit. Wenn er einen

Schlüssel sieht, wird er von einem unwiderstehlichen Zwang befallen, ihn . . . Sie wissen schon . . . in die Muschel zu werfen und hinunterzuspülen. Nur Schlüssel, nichts anderes. Immer nur Schlüssel. Alle unsere Versuche, ihm das abzugewöhnen, sind erfolglos geblieben. Wir wissen nicht mehr, was wir tun sollen. Freunde haben uns geraten, gar nichts zu unternehmen und das Kind einfach nicht zu beachten, dann würde es von selbst zur Vernunft kommen. Wir haben diesen Rat befolgt – mit dem Ergebnis, daß wir nach einiger Zeit keinen einzigen Schlüssel mehr im Haus hatten . . .«

»Komm einmal her, Schragele!« Ich rief den kleinen Tunichtgut zu mir. »Nun sag doch: warum wirfst du alle Schlüssel ins Klo?«

»Weiß nicht«, antwortete Schragele achselzuckend. »Macht mir Freude.«

Jetzt ergriff Frau Lustig das Wort:

»Wir haben sogar einen Psychiater konsultiert. Er verhörte Schragele zwei Stunden lang und bekam nichts aus ihm heraus. Dann fragte er uns, ob wir den Buben nicht vielleicht als Baby mit einem Schlüssel geschlagen hätten. Natürlich ein Blödsinn. Schon deshalb, weil ja ein Schlüssel für so etwas viel zu klein ist. Das sagten wir ihm auch. Er widersprach, und es entwickelte sich eine ziemlich lebhafte Diskussion. Mittendrin hörten wir plötzlich die Wasserspülung . . . also was soll ich Ihnen viel erzählen: Schragele hatte uns eingesperrt, und erst als nach stundenlangem Telefonieren ein Schlosser kam, konnten wir wieder hinaus. Der Psychiater erlitt einen Nervenzusammenbruch und mußte einen Psychiater aufsuchen.«

In diesem Augenblick erklang abermals das ominöse Geräusch. Unsere Nachforschungen ergaben, daß der Schlüssel zum Hauseingang fehlte.

»Wie tief ist es bis in den Garten?« erkundigten sich die Lustigs.

»Höchstens anderthalb Meter«, antwortete ich.

Die Lustigs verließen uns durch das Fenster und versprachen, einen Schlosser zu schicken.

Nachdenklich ging ich auf mein Zimmer. Nach einer Weile stand ich plötzlich auf, versperrte die Tür von außen, nahm den Schlüssel und spülte ihn die Klosettmuschel hinab.

Die Sache hat etwas für sich. Macht mir Freude.

RENANA UND DIE PUPPEN

Das Unglück begann, als im Kindergarten ein Knabe namens Doron verkündete:
»Ich hab' die Piccoli gesehen.«
Natürlich kann man von einem Kind nicht verlangen, daß es komplett und korrekt »Teatro dei Piccoli« sagt und vielleicht noch hinzufügt, daß es sich um die berühmte italienische Marionettenbühne handelt. »Piccoli« genügt ihm.
Es genügte auch den Umstehenden. Aus ihrem Kreis löste sich eine Zuhörerin, jung an Jahren, aber für ihr Alter erstaunlich intelligent und außerdem schön wie ein Engel, kam zu ihrem Vater gelaufen und rief:
»Ich will Piccoli haben!«
»Du bist noch zu klein, um ins Theater zu gehen«, antwortete der Vater mit fester Stimme. »Das kommt nicht in Frage, verstanden? Und damit Schluß.«
Am nächsten Abend besuchten Vater und Tochter – mit anderen Worten: der Verfasser dieses Berichts und seine zauberhafte kleine Renana – eine Vorstellung des »Teatro dei Piccoli«, das gerade in Tel Aviv gastierte.
Schon unterwegs konnte ich feststellen, daß Renana eine sehr intensive Beziehung zum Theater besaß, eine Art Naturbegabung, die sie zur Bühne hinzog. Sie sagte es selbst:
»Wenn ich groß bin, will ich Theater spielen.«
»Und was willst du spielen?«
»Schnurspringen.«
Vielleicht lag es an ihrer mangelnden Vertrautheit mit den Gebräuchen des Metiers, daß sie ein wenig erschrak, als der Zuschauerraum sich verdunkelte.
»Papi«, flüsterte sie ängstlich, »warum wird's finster?«
»Im Theater wird's immer finster.«
»Warum?«
»Weil jetzt die Vorstellung beginnt.«
»Aber warum im Finstern?«
Wenn man mit Renana einmal auf die »Warum«-Einbahn gerät, kommt man nicht so bald wieder heraus, es sei denn, man führt ein neues, überraschendes Element in die Konversation ein, etwa:

»Schau, Liebling, Papi steht auf dem Kopf!« oder: »Will irgend jemand Kaugummi haben?« Kindererziehung ist eine schwierige, komplizierte Angelegenheit. Wie soll man einem unmündigen Kind erklären, daß es im Theater dunkel sein muß, weil die visuelle Aufnahmefähigkeit der Netzhaut in einem direkt proportionalen Verhältnis zur Konzentration des Beschauers steht und weil andernfalls . . .

»Renana«, sagte ich streng, »sei still oder wir gehen.«

Zum Glück hob sich in diesem Augenblick der Vorhang, und die Bühne war alsbald von einer Menge kunstvoll bewegter Marionetten bevölkert. Renana betrachtete sie mit aufgerissenen Augen.

»Papi, warum tanzen die dummen Puppen?«

»Sie freuen sich, daß Renana ihnen zuschaut.«

»Dann sollen sie's sagen, aber nicht tanzen. Genug getanzt, dumme Puppen!« rief sie zur Bühne hinauf. »Aufhören!«

»Pst! Schrei nicht!«

»Aber warum tanzen sie?«

»Es ist ihr Beruf. Papi schreibt, Renana ruiniert Möbel, und Schauspieler tanzen.«

Auf diese lichtvolle Auskunft hin begann Renana das Lied von den drei kleinen weißen Mäusen zu singen, und zwar ziemlich laut. Unter unseren Sitznachbarn machte sich Unmut bemerkbar. Einige verstiegen sich zu taktlosen Bemerkungen über idiotische Eltern, die ihre zurückgebliebenen Kinder ins Theater mitnehmen. Da Renana auf diese Beweise von Feindseligkeit mit Tränen zu reagieren drohte, versuchte ich sie eilends abzulenken:

»Siehst du, wie hoch die Puppe dort springt?«

»Keine Puppe«, widersprach Renana. »Schauspielmann.«

»Das ist kein Schauspieler, Liebling. Das ist eine Marionette. Eine Puppe aus Holz und an Fäden.«

»Mann«, beharrte Renana.

»Aber du siehst doch, daß sie aus Holz geschnitzt ist.«

»Holz? Wie ein Baum?«

»Nein. Wie ein Tisch.«

»Und die Fäden? Warum Fäden?«

»Alle diese Puppen werden an Fäden gezogen.«

»Nicht Puppen. Schauspielmänner.«

Da sich Renana von mir allein nicht überzeugen ließ, rief ich den Platzanweiser zu Hilfe:

»Sagen Sie bitte, lieber Herr Oberbilleteur – sind das dort oben Schauspieler oder nur Puppen?«

»Selbstverständlich Schauspieler«, antwortete der livrierte Schwachkopf und zwinkerte mir zu. »Echte, lebendige Schauspieler.«

»Siehst du«, sagte Renana. Sie hat ohnehin keine sehr hohe Meinung von väterlicher Autorität. Und jetzt wollte ich ihr gar noch einreden, daß Puppen tanzen und singen können . . .

»Warum hab *ich* keine Fäden?« begehrte sie zu wissen.

»Weil du keine Puppe bist.«

»Doch, ich bin eine. Mami hat schon oft Puppe zu mir gesagt.« Und sie begann zu weinen.

»Du bist eine Puppe, du bist eine kleine, süße Puppe«, beruhigte ich sie. Aber ihre Tränen versiegten erst, als auf der Bühne eine größere Anzahl von Tieren erschien.

»Wauwau«, machte Renana. »Miau! Kikeriki! Was ist das dort, Papi?«

Sie deutete auf ein hölzernes Unding, das wie die Kreuzung eines Eichhörnchens mit einem Kalb aussah.

»Ein schönes Tier, nicht wahr, Renana?«

»Ja. Aber was für eines?«

»Ein Gnu«, sagte ich verzweifelt.

»Warum?« fragte Renana.

Ich verließ das Theater abgemagert und um mindestens ein Jahr gealtert. Renana hingegen hatte nichts von ihrer Vitalität eingebüßt.

»Mein Papi sagt«, erklärte sie der mit uns hinausströmenden Menge, »daß die Schauspielmänner mit Fäden angebunden sind, damit sie nicht davonlaufen können.«

Die Menge maß mich mit verächtlichen Blicken, die ungefähr besagten: Es ist doch unglaublich, welchen Blödsinn manche Väter ihren Kindern einpflanzen. Und die Polizei steht daneben und tut nichts.

»Papi«, ließ sich Renana vernehmen, und es klang wie ein Fazit, »ich will *nicht* Theater spielen.«

Selbst wenn das Gastspiel der »Piccoli« nichts anderes erreicht haben sollte, hat es einem guten Zweck gedient.

»Ich muß Sie auf etwas aufmerksam machen«, sagte mein Verleger und seufzte. »Bevor Sie ein neues Buch anfangen, sollten Sie sich darüber klar sein, daß in unserem Land kein Mensch mehr liest.«

»Übertreiben Sie nicht«, antwortete ich. »Zufällig weiß ich von einem alten Ehepaar in Haifa, daß jedes Jahr mindestens drei Bücher kauft.«

»Ja, von denen habe ich auch schon gehört. Aber für ein einziges Ehepaar kann man keine Buchproduktion aufziehen. Ich würde Ihnen deshalb empfehlen, sich auf Kinderbücher umzustellen. Dank unserem veralteten Erziehungssystem werden Kinder in der Schule noch zum Ankauf von Büchern gezwungen.«

»Dann schreibe ich also ein Kinderbuch. Was für Stoffe verkaufen sich jetzt am besten?«

»Tiere.«

»Also ein Kinderbuch über ein Tier.«

»Ja. Was schwebt Ihnen vor?«

»Lassen Sie mich nachdenken. Sagen wir: ›Mecki, der Sohn des Ziegenbocks.‹ Wie wäre das?«

»Schlecht. Hatten wir schon. Es hieß ›Mecki-Mecks Abenteuer‹. Acht Auflagen. Mecki-Meck brennt von zu Hause durch, fährt mit einem Jeep in die Stadt, erlebt verschiedene Abenteuer, entdeckt, daß es zu Hause doch am besten ist, und kehrt zu Mecki-Mami zurück. Sie müssen sich ein wenig anstrengen, Herr. Fast alle für Kinder geeigneten Tiere sind bereits aufgebraucht.«

»Auch die Bären?«

»Das will ich meinen. Vor einem Monat begann unsere neue Serie ›Tommy, der Eisbär‹. Tommy brennt von zu Hause durch, erklettert einen Fahnenmast, erlebt alle möglichen Abenteuer, kommt dahinter, daß es zu Hause doch am besten ist, und kehrt zu Brummi-Papi zurück. Alles schon dagewesen. Hunde, Katzen, Bären, Ziegen, Kühe, Schmetterlinge, Zebras, Antilopen . . .«

»Auch Hyänen?«

»Auch Hyänen. ›Helga, das Hyänenkind, im Untergrund‹. Sieben Auflagen.«

»Helga brennt durch?«
»Sie erklettert in der Wüste heimlich einen Jeep und macht sich aus dem Sand. Fällt Ihnen denn gar nichts Neues ein?«
»Ameisen!«
»Das ist gerade jetzt unser Bestseller. ›Amos Ameis in Tel Aviv‹. Er brennt von zu Hause durch . . .«
»Fledermäuse?«
»›Fifi, die Fledermaus, und ihre vierzig Verehrer‹. Die Abenteuer einer kleinen Fledermaus, die ihre Eltern verläßt und –«
»Und zurückkehrt?«
»Natürlich. Auf einem Jeep.«
Der Verleger erhob sich und begann sein Lager zu durchstöbern.
»Es gibt kaum noch ein freies Tier«, murmelte er. »Hier, bitte: ›Felix, der Falke, bei den Olympischen Spielen‹ . . . ›Schnurrdiburr, die Hummel, die sich für eine Biene hielt‹ . . . ›Koko, die Klapperschlange‹ . . .«
»Ich hab's! Regenwurm!«
»Siebzehn Auflagen. ›Rainer, der Regenwurm, auf hoher See‹. Er geht an Bord eines Frachters –«
»Er versteckt sich in einer Ladung von Jeeps.«
»Wie macht er das?«
»Hm. Dann bleiben nur noch die Flöhe.«
»›Balduin, der Bettfloh, auf Wanderschaft‹. Unsere nächste Neuerscheinung. Balduin entspringt seinen Eltern –«
»Auf einem Jeep.«
»Wieso wissen Sie das? Dort freundet er sich mit Mizzi der Moskitodame an, die von zu Hause durchgebrannt ist. Aber das geht dann schon in eine andere Serie über.«
»Karpfen?«
»›Karl, der Karpfen, bei den Fallschirmjägern.‹«
»Austern?«
»›Aurelia, die Auster, und ihr Zwillingsbruder August.‹ Sie verlassen ihre Schale, aber nach einiger Zeit kehren sie zurück, weil sie –«
»Schon gut. Wie wär's mit einem Tiefseeschwamm?«
»Tiefseeschwamm . . . warten Sie . . . nein, das hatten wir noch nicht.« Das Antlitz meines Verlegers erhellte sich hoffnungsfroh.
»Gut, machen Sie's. Aber Sie müssen sich beeilen, sonst schnappt's uns jemand weg.«
»Keine Sorge«, beruhigte ich ihn. »Ich fange sofort an. Lassen Sie

den Schutzumschlag entwerfen: ›Theobald, der Tiefseeschwamm, geht in die Stadt.‹«

Ich eilte nach Hause, die wilden Anfeuerungsrufe meines Verlegers im Rücken.

Heute habe ich den ersten Band der neuen Serie beendet. Eine großartige Handlung, voll von Überraschungen. Theobald reißt sich vom Elternhaus los, um in Jerusalem die Laufbahn eines Badeschwamms zu ergreifen. Im nächsten Band wird er nach Hause zurückkehren. Wahrscheinlich auf einem Jeep.

Alles ist eine Frage der Organisation. Deshalb bewahren wir in einem zweckmäßig nach Fächern eingeteilten Kasten unbrauchbare Geschenke zur künftigen Wiederverwendung auf. Wann immer so ein Geschenk kommt, und es kommt oft, wird es registriert, klassifiziert und eingeordnet. Babysachen kommen automatisch in ein Extrafach, Bücher von größerem Format als 20 × 25 cm werden in der »Bar-Mizwah«-Abteilung abgelegt, Vasen und talmisilberne Platten unter »Hochzeit«, besonders scheußliche Aschenbecher unter »Neue Wohnung«, und so weiter.

Eines Tages ist Purim, das Fest der Geschenke, plötzlich wieder da, und plötzlich geschieht folgendes:

Es läutet an der Tür. Draußen steht Benzion Ziegler mit einer Bonbonniere unterm Arm. Benzion Ziegler tritt ein und schenkt uns die Bonbonniere zu Purim. Sie ist in Cellophanpapier verpackt. Auf dem Deckel sieht man eine betörend schöne Jungfrau, umringt von allegorischen Figuren in Technicolor. Wir sind tief gerührt, und Benzion Ziegler schmunzelt selbstgefällig.

So weit, so gut. Die Bonbonniere war uns hochwillkommen, denn Bonbonnieren sind sehr verwendbare Geschenke. Sie eignen sich für vielerlei Anlässe, für den Unabhängigkeitstag so gut wie für silberne Hochzeiten. Wir legten sie sofort in die Abteilung »Diverser Pofel«.

Aber das Schicksal wollte es anders. Mit einem Mal befiel uns beide, meine Frau und mich, ein unwiderstehliches Verlangen nach Schokolade, das nur durch Schokolade zu befriedigen war. Zitternd vor Gier rissen wir die Cellophanhülle von der Bonbonniere, öffneten die Schachtel – und prallten zurück. Die Schachtel enthielt ein paar bräunliche Kieselsteine mit leichtem Moosbelag.

»Ein Rekord«, sagte meine Gattin tonlos. »Die älteste Schokolade, die wir jemals gesehen haben.«

Mit einem Wutschrei stürzten wir uns auf Benzion Ziegler und schüttelten ihn so lange, bis er uns bleich und bebend gestand, daß er die Bonbonniere voriges Jahr von einem guten Freund geschenkt bekommen hatte. Wir riefen den guten Freund an und zogen ihn derb zur Verantwortung. Der gute Freund begann zu stottern: Bonbonniere . . . Bonbonniere . . . ach ja. Ein Geschenk von Ingenieur Glück, aus Freude über den israelischen Sieg an der Sinai-Front . . . Wir forschten weiter. Ingenieur Glück hatte die Schachtel vor vier Jahren von seiner Schwägerin bekommen, als ihm Zwillinge geboren wurden. Die Schwägerin ihrerseits erinnerte sich noch ganz deutlich an den Namen des Spenders: Goldstein, 1953. Goldstein hatte sie von Glaser bekommen, Glaser von Steiner, und Steiner – man glaubt es nicht – von meiner guten Tante Ilka, 1950. Ich wußte sofort Bescheid: Tante Ilka hatte damals ihre neue Wohnung eingeweiht, und da das betreffende Fach unseres Geschenkkastens gerade leer war, mußten wir blutenden Herzens die Bonbonniere opfern.

Jetzt hielten wir die historische Schachtel wieder in Händen. Ein Gefühl der Ehrfurcht durchrieselte uns. Was hatte diese Bonbonniere nicht alles erlebt! Geburtstagsfeiern, Siegesfeiern, Grundsteinlegungen, neue Wohnungen, Zwillinge . . . wahrhaftig ein Stück Geschichte, diese Bonbonniere.

Hiermit geben wir der Öffentlichkeit bekannt, daß die Geschenkbonbonniere des Staates Israel aus dem Verkehr gezogen ist. Irgend jemand wird eine neue kaufen müssen.

Eines Abends klingelte es an unserer Tür. Sofort sprang die beste Ehefrau von allen auf, eilte quer durchs Zimmer und auf mich zu und sagte:

»Geh aufmachen.«

Vor der Tür standen die Großmanns. Dov und Lucy Großmann, ein nettes Ehepaar mittleren Alters und in Pantoffeln. Da wir einander noch nie direkt begegnet waren, stellten sie sich vor und entschuldigten sich für die Störung zu so später Stunde.

»Wir sind ja Nachbarn«, sagten sie. »Dürfen wir für einen Augenblick eintreten?«

»Bitte sehr.«

Mit erstaunlicher Zielsicherheit steuerten die Großmanns in den Salon, umkreisten den Flügel und hielten vor dem Teewagen inne.

»Siehst du?« wandte sich Lucy triumphierend an ihren Gatten. »Es ist *keine* Nähmaschine.«

»Ja, ja, schon gut.« Dovs Gesicht rötete sich vor Ärger. »Du hast gewonnen. Aber vorgestern war ich im Recht. Sie haben keine Encyclopaedia Britannica.«

»Von Britannica war nie die Rede«, korrigierte ihn Lucy. »Ich sagte nichts weiter, als daß sie eine Encyclopädie im Haus haben und überhaupt sehr versnobt sind.«

»Schade, daß wir deine geschätzten Äußerungen nicht auf Tonband aufgenommen haben.«

»Ja, wirklich schade.«

Es blieb mir nicht verborgen, daß sich in dieses Gespräch eine gewisse Feindseligkeit einzuschleichen drohte. Deshalb schlug ich vor, daß wir alle zusammen Platz nehmen und uns aussprechen sollten, wie es sich für erwachsene Menschen geziemt.

Die Großmanns nickten – jeder für sich – zustimmend, Dov entledigte sich seines Regenmantels, und beide setzten sich hin. Dovs Pyjama war graublau gestreift.

»Wir wohnen im Haus gegenüber«, begann Dov und zeigte auf das Haus gegenüber. »Im fünften Stock. Voriges Jahr haben wir eine Reise nach Hongkong gemacht und haben uns dort einen hervorragenden Feldstecher gekauft.«

Ich bestätigte, daß die japanischen Erzeugnisse tatsächlich von höchster Qualität wären.

»Maximale Vergrößerung eins zu zwanzig«, prahlte Lucy und zupfte an ihren Lockenwicklern. »Mit diesem Glas sehen wir jede Kleinigkeit in Ihrer Wohnung. Und Dobby, der sich manchmal gern wie ein störrisches Maultier benimmt, hat gestern steif und fest behauptet, daß der dunkle Gegenstand hinter Ihrem Flügel eine Nähmaschine ist. Er war nicht davon abzubringen, obwohl man auf diesem Gegenstand ganz deutlich eine Blumenvase stehen sah. Seit wann stehen Blumenvasen auf Nähmaschinen? Eben. Aber Dobby wollte das nicht einsehen. Auch heute noch haben wir den ganzen Tag über gestritten. Schließlich sagte ich zu Dobby: ›Weißt du was? Wir gehen zu denen hinüber, um nachzuschauen, wer recht hat.‹ Und hier sind wir.«

»Sie haben richtig gehandelt«, lobte ich. »Sonst hätte der Streit ja nie ein Ende genommen. Noch etwas?«

»Nur die Vorhänge«, seufzte Dov.

»Was ist mit den Vorhängen, und warum seufzen Sie?« fragte ich.

»Weil, wenn Sie die Vorhänge vor Ihrem Schlafzimmer zuziehen, können wir gerade noch Ihre Füße sehen.«

»Das ist allerdings bitter.«

»Nicht daß ich mich beklagen wollte!« lenkte Dov ein. »Sie brauchen auf uns keine Rücksicht zu nehmen. Es ist ja Ihr Haus.«

Die Atmosphäre wurde zusehends herzlicher. Meine Frau servierte Tee und Salzgebäck.

Dov fingerte am Unterteil seiner Armlehne: »Was mich kolossal interessieren würde . . .«

»Ja? Was?«

»Ob hier noch der Kaugummi pickt. Er war rot, wenn ich nicht irre.«

»Blödsinn«, widersprach Lucy. »Er war gelb.«

»Rot!«

Die Feindseligkeiten flammten wieder auf. Können denn zwei zivilisierte Menschen keine fünf Minuten miteinander sprechen, ohne zu streiten? Als ob es auf solche Lappalien ankäme! Zufällig war der Kaugummi grün, ich wußte es ganz genau.

»Einer Ihrer Nachtmahlgäste hat ihn vorige Woche hingeklebt«, erläuterte Dov. »Ein hochgewachsener, gutgekleideter Mann. Während Ihre Frau in die Küche ging, nahm er den Kaugummi aus dem Mund, blickte um sich, ob ihn jemand beobachtete, und dann – wie gesagt.«

»Köstlich«, kicherte meine Frau. »Was Sie alles sehen!«

»Da wir kein Fernsehgerät besitzen, müssen wir uns auf andere Weise Unterhaltung verschaffen. Sie haben doch nichts dagegen?«

»Keine Spur.«

»Aber Sie sollten besser auf den Fensterputzer aufpassen, der einmal in der Woche zu Ihnen kommt. Auf den im grauen Arbeitskittel. Er geht dann immer in Ihr Badezimmer und benützt Ihr Deodorant.«

»Wirklich? Sie können sogar in unser Badezimmer sehen?«

»Nicht sehr gut. Wir sehen höchstens, wer unter der Dusche steht.«

Die nächste Warnung bezog sich auf unsern Babysitter.

»Sobald Ihr Kleiner einschläft«, eröffnete uns Lucy, »zieht sich das Mädchen in Ihr Schlafzimmer zurück. Mit ihrem Liebhaber. Einem Studenten. Mit randloser Brille.«

»Wie ist denn die Aussicht ins Schlafzimmer?«

»Nicht schlecht. Nur die Vorhänge stören, das sagte ich Ihnen ja schon. Außerdem mißfällt mir das Blumenmuster.«

»Ist wenigstens die Beleuchtung ausreichend?«

»Wenn ich die Wahrheit sagen soll: nein. Manchmal sind überhaupt nur schattenhafte Konturen zu sehen. Fotografieren kann man so etwas nicht.«

»Die Beleuchtungskörper in unserem Schlafzimmer«, entschuldigte ich mich, »sind eigentlich mehr fürs Lesen gedacht. Wir lesen sehr viel im Bett, meine Frau und ich.«

»Ich weiß, ich weiß. Aber manchmal kann einen das schon ärgern, glauben Sie mir.«

»Dov!« warf Lucy vorwurfsvoll dazwischen. »Mußt du denn auf die Leute immer gleich losgehen?«

Und wie zum Trost gab sie uns bekannt, was sie am liebsten sah: Wenn meine Frau zum Gutenachtsagen ins Kinderzimmer ging und unser Allerjüngstes auf den Popo küßte.

»Es ist eine wirkliche Freude, das mitanzusehen!« Lucys Stimme klang ganz begeistert. »Vorigen Sonntag hatten wir ein kanadisches Ehepaar zu Besuch, beide sind Innenarchitekten, und beide erklärten unabhängig voneinander, daß ihnen ein so rührender Anblick noch nie untergekommen sei. Sie versprachen, uns ein richtiges Teleskop zu schicken, eins zu vierzig, das neueste Modell. Übrigens hat Dov schon daran gedacht, an Ihrem Schlafzimmer eines dieser japanischen Mikrofone anzubringen, die angeblich bis auf zwei Kilometer Entfernung funktionieren. Aber ich möchte lieber warten, bis wir uns etwas wirklich Erstklassiges leisten können, aus Amerika.«

»Wie recht Sie doch haben. Bei solchen Sachen soll man nicht sparen.«

Dobby stand auf und säuberte seinen Pyjama von den Bröseln der belegten Brötchen, mit denen meine Frau ihn mittlerweile bewirtet hatte. »Wir freuen uns wirklich, daß wir Sie endlich von Angesicht zu Angesicht kennengelernt haben«, sagte er herzlich. Hierauf versetzte er mir einen scherzhaften Rippenstoß und flüsterte mir zu: »Achten Sie auf Ihr Gewicht, alter Knabe! Man sieht Ihren Bauch bis ins gegenüberliegende Haus.«

»Ich danke Ihnen, daß Sie mich darauf aufmerksam machen«, erwiderte ich ein wenig beschämt.

»Nichts zu danken. Wenn man einem Nachbarn helfen kann, dann soll man es tun, finden Sie nicht auch?«

»Natürlich.«

»Und finden Sie nicht, daß das Blumenmuster auf Ihren Vorhängen –«

»Sie haben vollkommen recht.«

Wir baten die Großmanns, recht bald wiederzukommen. Ein wenig später sahen wir im fünften Stock des gegenüberliegenden Hauses das Licht angehen. Im Fensterrahmen wurde Dobbys schlanke Gestalt sichtbar. Als er den Feldstecher aus Hongkong ansetzte, winkten wir ihm. Er winkte zurück.

Kein Zweifel: wir hatten neue Freunde gewonnen.

WEM DIE TELLER SCHLAGEN

Meine Frau und ich sind keine religiösen Eiferer, aber die Feiertage werden bei uns streng beachtet. Alle. An Feiertagen braucht man nichts zu arbeiten, und außerdem sorgen sie für Abwechslung in kulinarischer Hinsicht. Um nur ein Beispiel zu nennen: am Passahfeste ist es geboten, bestimmte Speisen zweimal in eine schmackhafte Fleischsauce zu tunken, ehe man sie verzehrt. An Wochentagen tunkt man in der Regel nicht einmal einmal.

Was Wunder, daß ich heuer, als es soweit war, an meine Frau die folgenden Worte richtete:

»Ich habe eine großartige Idee. Wir wollen im Sinne unserer historischen Überlieferungen einen Sederabend abhalten, zu dem wir unsere lieben Freunde Samson und Dwora einladen. Ist das nicht die schönste Art, den Feiertag zu begehen?«

»Wirklich?« replizierte die beste Ehefrau von allen. »Noch schöner wäre es, von ihnen eingeladen zu werden. Ich denke gar nicht daran, eine opulente Mahlzeit anzurichten und nachher stundenlang alles wieder sauberzumachen. Geh zu Samson und Dwora und sag ihnen, daß wir sie sehr gerne zum Seder eingeladen hätten, aber leider geht's diesmal nicht, weil . . . laß mich nachdenken . . . weil unser elektrischer Dampftopf geplatzt ist oder weil der Schalter, mit dem man die Hitze einstellt, abgebrochen ist und erst in zehn Tagen repariert werden kann, und deshalb müssen sie uns einladen . . .«

Ich beugte mich vor dieser unwidersprechlichen Logik, ging zu Samson und Dwora und deutete an, wie schön es doch wäre, den Sederabend in familiärer Gemütlichkeit zu verbringen.

Laute Freudenrufe waren die Antwort.

»Herrlich!« jubelte Dwora. »Wunderbar! Nur schade, daß es diesmal bei uns nicht geht. Unser elektrischer Dampftopf ist geplatzt, das heißt, der Schalter, mit dem man die Hitze einstellt, ist abgebrochen und kann erst in zehn Tagen repariert werden. Du verstehst . . .«

Ich brachte vor Empörung kein Wort hervor.

»Wir werden also zum Seder zu euch kommen«, schloß Dwora unbarmherzig ab. »Gut?«

»Nicht gut«, erwiderte ich mühsam. »Es klingt vielleicht ein bißchen dumm, aber auch unser elektrischer Dampftopf ist hin. Eine wahre Schicksalsironie. Ein Treppenwitz der Weltgeschichte. Aber was hilft's . . .«

Samson und Dwora wechselten ein paar stumme Blicke.

»In der letzten Zeit«, fuhr ich einigermaßen verlegen fort, »hört man immer wieder von geplatzten Dampftöpfen. Sie platzen im ganzen Land. Vielleicht ist mit dem Elektrizitätswerk etwas nicht in Ordnung.«

Langes, ausführliches Schweigen entstand. Plötzlich stieß Dwora einen heiseren Schrei aus und schlug vor, unsere Freunde Botoni und Piroschka in die geplante Festlichkeit einzuschalten.

Es wurde beschlossen, eine diplomatische Zweier-Delegation (rein männlich) zu Botoni und Piroschka zu entsenden. Ich machte mich mit Samson unverzüglich auf den Weg.

»Hör zu, alter Junge«, sagte ich gleich zur Begrüßung und klopfte Botoni jovial auf die Schulter. »Wie wär's mit einem gemeinsamen Sederabend? Großartige Idee, was?«

»Wir könnten einen elektrischen Kocher mitbringen, falls eurer zufällig geplatzt ist«, fügte Samson vorsorglich hinzu. »In Ordnung? Abgemacht?«

»In Gottes Namen.« Botonis Stimme hatte einen sauern Beiklang. »Dann kommt ihr eben zu uns. Auch meine Frau wird sich ganz bestimmt sehr freuen, euch zu sehen.«

»Botoooni!« Eine schrille Weiberstimme schlug schmerzhaft an unser Trommelfell. Botoni stand auf, vermutete, daß seine Frau in der Küche etwas von ihm haben wolle, und entfernte sich. Wir warteten in düsterer Vorahnung.

Als er zurückkam, hatten sich seine Gesichtszüge deutlich verhärtet.

»Auf welchen Tag fällt heuer eigentlich der Seder?« fragte er.

»Es ist der Vorabend des Passahfestes«, erläuterte ich höflich. »Eine unserer schönsten historischen Überlieferungen.«

»Was für ein Schwachkopf bin ich doch!« Botoni schlug sich mit der flachen Hand gegen die Stirn. »Jetzt habe ich vollkommen vergessen, daß an diesem Tag unsere Wohnung saubergemacht wird. Und neu gemalt. Wir müssen anderswo essen. Möglichst weit weg. Schon wegen des Geruchs.«

Samson sah mich an. Ich sah Samson an. Man sollte gar nicht glauben, auf was für dumme, primitive Ausreden ein Mensch verfallen kann, um sich einer religiösen Verpflichtung zu entziehen.

Was blieb uns da noch übrig, als Botoni in die Geschichte mit den geplatzten Kochern einzuweihen?

Botoni hörte gespannt zu. Nach einer kleinen Weile sagte er: »Das ist aber eine rechte Gedankenlosigkeit von uns! Warum sollten wir ein so nettes Paar wie Midad und Schulamith von unserem Sederabend ausschließen?«

Wir umarmten einander herzlich, denn im Grunde waren wir Busenfreunde, alle drei. Dann gingen wir alle drei zu Midad und Schulamith, um ihnen unsern Plan für einen schönen, gemeinsamen Sederabend zu unterbreiten.

Midads und Schulamiths Augen leuchteten auf. Schulamith klatschte sogar vor Freude in die Hände:

»Fein! Ihr seid alle zum Nachtmahl bei uns!«

Wir glotzten. Alle? Wir alle? Zum Nachtmahl? Nur so? Da steckt etwas dahinter!

»Einen Augenblick«, sagte ich mit gesammelter Stimme. »Seid ihr sicher, daß ihr *eure* Wohnung meint?«

»Was für eine Frage!«

»Und euer Dampftopf funktioniert?«

»Einwandfrei!«

Ich war fassungslos. Und ich merkte, daß auch Samson und Botoni von Panik ergriffen wurden.

»Die Wände!« brach es aus Botoni hervor. »Was ist mit euren Wänden? Werden die gar nicht geweißt?«

»Laß die Dummheiten«, sagte Midad freundlich und wohlgelaunt. »Ihr seid zum Sederabend bei uns, und gut.«

Völlig verdattert und konfus verließen wir Midads Haus. Selbstverständlich werden wir zum Seder *nicht* hingehen. Irgend etwas ist da nicht in Ordnung, und so leicht kann man uns nicht hineinlegen. Keinen von uns. Wir bleiben zu Hause. So, wie sich's im Sinne unserer schönsten historischen Überlieferungen gehört.

Vor einiger Zeit erklärte meine Gattin wieder einmal, daß sie ihre Haushaltspflichten nicht mehr allein bewältigen könne. Sie wüchsen ihr einfach über den Kopf, seit auch noch der Kanari hinzugekommen sei. Und es müßte sofort eine tüchtige Hilfskraft aufgenommen werden.

Nach langen Forschungen und Prüfungen entschieden wir uns für Mazal, ein weibliches Wesen, das in der Nachbarschaft den besten Ruf genoß. Mazal war eine Orientalin von mittleren Jahren und gelehrtem Aussehen. Dieses verdankte sie ihrer randlosen Brille, die sie vermittels zweier Drähte auf der Nasenspitze balancierte.

Es war ein Fall von Liebe auf den ersten Blick. Wir wußten sofort, daß Mazal die Richtige war, meine überarbeitete Ehegefährtin zu entlasten. Es ging auch alles ganz glatt – bis plötzlich unsere Nachbarin, Frau Schawuah Tow, das bittere Öl des Mißtrauens in unsere nur allzu empfänglichen Ohren träufelte.

»Ihr Einfaltspinsel«, sagte Frau Schawuah Tow, als sie uns eines Morgens besuchte und unsere Hausgehilfin eifrig mit dem Besen hantieren sah. »Wenn eine Weibsperson wie Mazal für euch arbeitet, dann tut sie es ganz gewiß nicht um des schäbigen Gehaltes willen, das sie von euch bekommt.«

»Warum täte sie es sonst?«

»Um zu stehlen«, sagte Frau Schawuah Tow.

Wir wiesen diese Verleumdung energisch zurück. Niemals, so sagten wir, würde Mazal so etwas tun.

Aber meiner Frau begann alsbald aufzufallen, daß Mazal, wenn sie den Fußboden kehrte, uns nicht in die Augen sah. Irgendwie erinnerte sie uns an das Verhalten Raskolnikows in »Schuld und Sühne«. Und die Taschen ihres Arbeitskittels waren ganz ungewöhnlich groß.

Mit dem mir eigenen Raffinement begann ich sie zu beobachten, wobei ich mir den Anschein gab, in die Zeitungslektüre vertieft zu sein. Ich merkte, daß Mazal besonders unser Silberbesteck mit einer merkwürdig gierigen Freude säuberte. Auch andere Verdachtsmomente traten zutage. Die Spannung wuchs und wurde nach und nach so unerträglich, daß ich vorschlug, die Polizei zu verständigen.

Meine Frau jedoch, eine gewiegte Leserin von Detektivgeschichten, wies darauf hin, daß es sich bei dem gegen Mazal akkumulierten Beweismaterial um mehr oder weniger anfechtbare Indizienbeweise handle und daß wir vielleicht besser täten, unsere Nachbarin um Rat zu fragen.

»Ihr müßt das Ungeheuer in flagranti erwischen«, erklärte Frau Schawuah Tow. »Zum Beispiel könntet ihr irgendwo eine Banknote verstecken. Und wenn Mazal das Geld findet, ohne es zurückzugeben, dann schleppt sie vor den Richter!«

Am nächsten Tag stellten wir die Falle. Wir entschieden uns für eine Fünfpfundnote, die wir unter die Badezimmermatte praktizierten.

Vom frühen Morgen an war ich so aufgeregt, daß ich nicht arbeiten konnte. Auch meine Frau klagte über stechende Kopfschmerzen. Immerhin gelang es uns, einen detaillierten Operationsplan festzulegen: meine Frau würde die ertappte Unholdin durch allerlei listige Täuschungsmanöver zurückhalten, während ich die Sicherheitstruppe alarmierte.

»Schalom«, grüßte Mazal, als sie ins Zimmer trat. »Ich habe unter der Matte im Badezimmer zehn Pfund gefunden.«

Wir verbargen unsere Enttäuschung hinter einem unverbindlichen Gemurmel, zogen uns zurück und waren fassungslos. Minutenlang konnten wir einander überhaupt nicht in die Augen sehen. Dann sagte meine Ehegattin:

»Was mich betrifft, so hatte ich zu Mazal immer das größte Vertrauen. Ich habe nie begriffen, wie du diesem goldehrlichen Geschöpf zutrauen konntest, seine Arbeitgeber zu bestehlen.«

»Ich hätte gesagt, daß sie stiehlt? Ich?« Meine Stimme überschlug sich in gerechtem Zorn. »Eine Unverschämtheit von dir, so etwas zu behaupten! Die ganzen letzten Tage hindurch habe ich mich vergebens bemüht, dieses Muster einer tugendhaften Person gegen deine infamen Verdächtigungen zu schützen!«

»Daß ich nicht lache«, sagte meine Frau und lachte. »Du bist über die Maßen komisch.«

»So? Ich bin komisch? Möchtest du mir vielleicht sagen, wer die zehn Pfund unter der Matte versteckt hat, obwohl wir doch nur fünf Pfund verstecken wollten? Hätte Mazal – wozu sie natürlich vollkommen unfähig ist – das Geld wirklich gestohlen, dann wären wir überflüssigerweise um zehn Pfund ärmer geworden.«

Bis zum Abend sprachen wir kein einziges Wort mehr.

Als Mazal ihre Arbeit beendet hatte, kam sie wieder ins Zimmer, um sich zu verabschieden.

»Gute Nacht, Mazal«, sagte meine Frau mit betonter Herzlichkeit. »Auf Wiedersehen morgen früh. Und seien Sie pünktlich.«

»Ja«, antwortete die brave Hausgehilfin. »Gewiß. Wünscht Madame mir jetzt noch etwas zu geben?«

»Ihnen etwas geben? Wie kommen Sie darauf, meine Liebe?«

Daraufhin entstand der größte Radau, den es in dieser Gegend seit zweitausend Jahren gegeben hat.

»Madame wünscht mir also nichts zu geben?« kreischte Mazal mit funkelnden Augen. »Und was ist mit meinem Geld? He? Sie wissen doch ganz genau, daß Sie eine Fünfpfundnote unter die Matte gelegt haben, damit ich sie stehlen soll! Ihr wolltet mich wohl auf die Probe stellen, ihr Obergescheiten, was?«

Meine Gattin verfärbte sich. Ich meinerseits hoffte, daß die Erde sich auftun und mich verschlingen würde, aber ich hoffte vergebens.

»Na? Auf was warten Sie noch?« Mazal wurde ungeduldig. »Oder wollen Sie vielleicht mein Geld behalten?«

»Entschuldigen Sie, liebe Mazal«, sagte ich mit verlegenem Lächeln. »Hier, bitte, sind Ihre fünf Pfund, liebe Mazal.«

Mazal riß mir die Banknote unwirsch aus der Hand und stopfte sie in eine ihrer übergroßen Taschen.

»Es versteht sich von selbst«, erklärte sie kühl, »daß ich nicht länger in einem Haus arbeiten kann, in dem gestohlen wird. Zum Glück habe ich das noch rechtzeitig entdeckt. Man darf den Menschen heutzutage nicht trauen . . .«

Sie ging, und wir haben sie nie mehr wiedergesehen.

Frau Schawuah Tow jedoch erzählte in der ganzen Nachbarschaft herum, daß wir versucht hätten, eine arme, ehrliche Hausgehilfin zu berauben.

FERNGESPRÄCH MIT DEM NACHWUCHS

Wenn ein Bürger des Staates Israel eine Auslandsreise unternimmt, muß er befürchten, den Kontakt mit seiner Heimat zu verlieren. Dann und wann sieht er vielleicht auf dem Fernsehschirm eine von seltsam strichlierten und strichpunktierten Linien durchzogene Karte der Sinai-Halbinsel vorüberflitzen, da und dort kann er eine zwei Wochen alte israelische Zeitung erstehen, ab und zu bekommt er von zu Hause einen Brief, der eigentlich nichts weiter enthält als die Mitteilung »Nächstens mehr«. Das ist alles . . .

Aber halt! Es gibt ja das Telefon! Ein nützliches, ein handliches, ein wundersames Instrument, hervorragend geeignet, ohne viel Umstände die Verbindung mit den teuern Zurückgebliebenen herzustellen!

»Teuer« ist das richtige Wort. Ein Gespräch aus New York nach Tel Aviv kostet zum Beispiel acht saftige Dollar pro Minute.

Sei's drum. Der reisende Israeli holt tief Atem, greift nach dem Telefon seines schäbigen Hotelzimmers, betätigt mit zitternder Hand die Drehscheibe und lauscht gespannt dem verheißungsvollen »biep-biep-biep«, das ihm aus dem Apparat entgegentönt. Das erste Stadium der Fühlungnahme ist erreicht.

Ich werde mich kurz fassen. Mein Gespräch mit der besten Ehefrau von allen wird sich auf das Nötigste beschränken. Zu Hause alles in Ordnung? Die Kinder gesund? Ja, mir geht's gut. Ja, ich komme zurück, sobald ich kann. Wart' noch mit der Steuererklärung, wir haben Zeit. Ich umarme dich, Liebste . . . Das wäre alles, und das kann höchstens drei Minuten dauern.

»Hallo?« Ein süßes kleines Stimmchen klingt mir von jenseits des Ozeans ans Ohr. Es ist Renana, meine Jüngste, mein Augapfel.

»Wer ist dort?«

»Hallo, Renana!« brülle ich in den Hörer. »Wie geht's dir?«

»Wer dort?« sagte Renana. »Hallo!«

»Hier ist Papi.«

»Was?«

»Papi spricht hier, Renana. Ist Mami zu Hause?«

»Wer spricht?«

»Papi!«

»Mein Papi?«

»Ja, dein Papi. Du sprichst mit deinem Papi. Und Papi will mit Mami sprechen. Bitte hol sie!«

»Warte, warte. Papi? Hörst du mich, Papi?«

»Ja.«

»Wie geht's dir?«

»Fein. Mir geht's fein. Wo ist Mami?«

»Bist du jetzt in Amerika, Papi? Nicht wahr, du bist in Amerika!«

»Ja, in Amerika. Und ich hab' große Eile.«

»Willst du mit Amir sprechen?«

»Ja. Schön.« (Ich kann nicht gut nein sagen, sonst kränkt er sich.)

»Hol ihn. Aber mach schnell. Auf Wiedersehen, Liebling.«

»Was?«

»Auf Wiedersehen, hab' ich gesagt.«

»Wer spricht?«

»Hol deinen Bruder!«

»Auf Wiedersehen, Papi.«

»Auf Wiedersehen, mein Kleines, Bussi.«

»Was?«

»Du sollst Amir rufen, zum Teufel!«

»Amir, wo bist du?« Renanas Stimme schrillt in eine andere Richtung. »Papi will mit dir sprechen. Amir! Aaa-miiir!«

Bisher sind sieben Minuten vergangen, sieben Minuten zu je acht Dollar. Man sollte Kinder nicht ans Telefon heranlassen. Acht Minuten. Wo nur dieser rothaarige Bengel so lange bleibt.

»Hallo, Papi!«

»Hallo, mein Junge. Wie geht's dir?«

»Danke gut. Und dir?«

»Auch gut. Alles in Ordnung, Amir?«

»Ja.«

»Fein.«

Es tritt eine Pause ein. Aber die wichtigsten Dinge sind ja schon besprochen.

»Papi?«

»Ja.«

»Renana will dir noch etwas sagen.«

Vor meinem geistigen Auge erscheint eine Art Taxameter, nur größer und mit alarmierend hohen Ziffern, welche Amok laufen. Klick: 360 Pfund . . . Klick: 396 . . . Klick: 432 . . . Klick . . .

»Papi? Hörst du, Papi?«

»Ja.«

»Gestern . . . Weißt du, gestern . . .«

»Was – gestern?«

»Gestern . . . Amir, laß mich mit Papi sprechen! Papi, Amir will mich wegstoßen!«

»Hol Mami zum Telefon!«

»Was?«

»Mami! Aber schnell!«

»Warte . . . gestern . . . hörst du mich?«

»Ja, ich höre dich, gestern, was ist gestern geschehen, gestern, was, was war gestern?«

»Gestern war Moschik nicht im Kindergarten.«

»Wo ist Mami?!«

»Wer?«

»M-a-m-i!«

»Mami ist nicht zu Hause. Hör zu, Papi!«

»Ja?«

»Willst du mit Amir sprechen?«

»Nein. Auf Wiedersehen, Liebling.«

»Was?«

»Bussi- B-u-s-s-i!«

»Gestern . . .«

An diesem Punkt wurde die Verbindung plötzlich unterbrochen. Möglich, daß ich eine unvorsichtige Bewegung gemacht habe und irgendwo angekommen bin, wo sonst der Hörer aufliegt . . . Na schön, dann muß ich eben auflegen.

Aber da klingelt es schon wieder. Um Himmels willen, es wird doch nicht –?

Nein, es ist die Telefonistin:

»Das macht 166 Dollar und 70 Cent, Mr. Kitschen.«

Früh übt sich oder die Abschlussfeier

»Wirst du kommen, Papi? Bestimmt?«

»Ja, mein Sohn. Bestimmt.«

Dies der kurze, wenig abwechslungsreiche Dialog, der während der letzten sechs Monate zweimal täglich zwischen mir und meinem Sohn Amir stattfand, einmal beim Frühstück und einmal vor dem Schlafengehen. Nadiwa, die Lehrerin, hatte dem Kind eine führende Rolle in dem Theaterstück gegeben, das am Ende des Schuljahrs aufgeführt werden sollte, und von diesem Augenblick an beschäftigte sich Amir ausschließlich damit, in der Abgeschlossenheit seines Zimmers den vorgeschriebenen Text auswendig zu lernen, unermüdlich, immer wieder, immer dieselben Worte, als wäre eine Schallplatte steckengeblieben:

»Häschen klein . . . Gläschen Wein . . . sitzt allein«, erklang es unablässig aus Kindermund. »Kleiner Hase . . . rote Nase . . . ach, wie fein . . . muß das sein . . .«

Selbst auf dem Schulweg murmelte er diesen läppisch gereimten Unfug vor sich hin, selbst auf die erzürnten Rufe der Kraftfahrer, die ihn nicht überfahren wollten, reagierte er mit Worten wie:

»Häschen spring . . . klingeling . . . komm und sing . . .«

Als der große Tag da war, platzte das Klassenzimmer aus allen Nähten, und viele Besucher drängten herzu, um teils ihre Sprößlinge und teils die von eben diesen angefertigten Buntstiftzeichnungen israelischer Landschaften zu bestaunen. Mit knapper Not gelang es mir, ein Plätzchen zwischen dem See Genezareth und einem Tisch mit Backwerk zu ergattern. Im Raum brüteten die Hitze und eine unabsehbare Schar erwartungsvoller Eltern. Unter solchen Umständen hat ein Durchschnitts-Papi wie ich die Wahl zwischen zwei Übeln: er kann sich hinsetzen und nichts sehen als die Nacken der vor ihm Sitzenden, oder er kann stehen und sieht seinen Sohn. Ich entschied mich für einen Kompromiß und ließ mich auf einer Sessellehne nieder, unmittelbar hinter einer Mutti mit einem Kleinkind auf dem Rücken, das sich von Zeit zu Zeit nach mir umdrehte, um mich ausdruckslos anzuglotzen.

»Papi«, hatte mein Sohn Amir beim Aufbruch gefragt, »wirst du auch ganz bestimmt bleiben?«

»Ja, mein Sohn. Ich bleibe.«

Jetzt saß Amir bereits auf der Bühne, in der dritten Reihe der für spätere Auftritte versammelten Schüler, und beteiligte sich mit allen anderen am Absingen des Gemeinschaftsliedes unserer Schule. Auch die Eltern fielen ein, wann immer ein Mitglied des Lehrkörpers einen von ihnen ansah.

Die letzten Mißtöne waren verklungen. Ein sommersprossiger Knabe trat vor und wandte sich wie folgt an die Eltern:

»Nach Jerusalem wollen wir gehen, Jerusalem, wie bist du schön, unsere Eltern kämpften für dich, infolgedessen auch für mich und für uns alle, wie wir da sind, Jerusalem, ich bin dein Kind und bleibe es mein Leben lang, liebe Eltern, habet Dank!«

Ich, wie gesagt, saß in geräumiger Distanz vom Ort der Handlung. Was dort vorging, erreichte mich nur bruchstückweise.

Soeben rizitiert ein dicklicher Junge etwas über die Schönheiten unseres Landes, aber ich höre kein Wort davon und bin ausschließlich auf visuelle Eindrücke angewiesen: wenn er hinaufschaut, meint er offensichtlich den Berg Hermon, wenn er die Arme ausbreitet, die fruchtbaren Ebenen Galiläas oder möglicherweise die wüste Negev, und wenn er mit seinen Patschhändchen wellenförmige Bewegungen vollführt, kann es sich nur um das Meer handeln. Zwischendurch muß ich die ängstlich forschenden Blicke meines Sohnes erwidern und die des Kleinkindes ignorieren.

Stürmischer Applaus. Ist das Programm schon zu Ende?

Ein geschniegelter Musterschüler tritt an die Rampe:

»Das Flötenorchester der vierten Klasse spielt jetzt einen Ländler.«

Ich liebe das Flöteninstrument als solches, aber ich liebe es in der Landschaft draußen, nicht in einem knallroten Saal mit Städtern. Wie aus dem notdürftig vervielfältigten Programm hervorgeht, besitzt die vierte Klasse außer einem Flötenorchester auch vier Solisten, so daß uns auch vier Soli bevorstehen, damit sich keiner kränkt: 1 Haydn, 1 Nardi, 1 Schönberg, 1 Dvorák . . .

An den Fenstern wimmelt es von zeitunglesenden Vätern. Und sie genieren sich nicht einmal, sie tun es ganz offen. Das ist nicht schön von ihnen. Ich borge mir eine Sportbeilage aus.

Das Konzert ist vorüber. Wir applaudieren vorsichtig, wenn auch nicht vorsichtig genug. Es erfolgt eine Zugabe.

Die Sportbeilage ist reichhaltig, aber auch sie hat einmal ein Ende. Was nun?

Da! Mein Sohn Amir steht auf und bewegt sich gegen den Vordergrund der Bühne. Mit einem Stuhl in der Hand.

Er ist, wie sich zeigt, zunächst nur als Requisiteur tätig.

Seine Augen suchen mich.

»Bist du hier, mein Vater?« fragt sein stummer Blick.

Ich wackle mit den Ohren:

»Hier bin ich, mein Sohn.«

Einer seiner Kollegen erklimmt den Stuhl, den er, Amir, mein eigener Sohn, herangeschafft hat, und gibt sich der Menge als »Schloime der Träumer« zu erkennen. Von seinen Lippen rieselt es rasch und größtenteils unverständlich:

»Jetzt wollt ihr wissen, warum bla-bla-bla, also ich sag's euch, meine Mutter sagt immer bla-bla-bla, also ich geh und hopp-hopp-hopp auf einmal eine Katze und sum-sum-sum bla-bla-bla ob ihr's glaubt oder nicht und plötzlich Rhabarber Rhabarber alles voll Kalk.«

Die Kinder brüllen vor Lachen. Mit mir jedoch geht es zu Ende. Kein Zweifel, ich bin innerhalb Minutenfrist entweder taub oder senil geworden oder beides.

Es beruhigt mich ein wenig, daß auch viele andere Väter mit unbewegten Gesichtern dasitzen, die Hand ans Ohr legen, sich angestrengt vorbeugen und sonstige Anzeichen ungestillten Interesses von sich geben.

Eine Stunde ist vergangen. Die Mutter mit dem Kleinkind auf dem Rücken sackt lautlos zusammen, mitten in die Kuchen hinein. Ich springe auf, um ihr in die frische Luft hinauszuhelfen, aber ein paar gewiegte Väter kommen mir zuvor und tragen sie freudestrahlend hinaus. An die frische Luft.

»Und jetzt«, verkündet der Geschniegelte, »bringen die Didl-Dudl-Swingers eine Gesangsnummer, in der sie die Vögel des Landes Israel nachahmen.«

Wenn ich's genau bedenke, habe ich kleine Kinder gar nicht so schrecklich lieb. In kleinen Mengen mag ich sie ganz gern, aber so viele von ihnen auf so kleinem Raum . . . Außerdem sind sie miserable Schauspieler. Vollkommen talentlos. Wie sie da zum Klang des Flötenquartetts herumspringen und einen idiotischen Text krächzen . . . Böser Kuckadudldu, mach die blöden Augen zu . . . oder was immer . . . es ist nicht zum Anhören und nicht zum Ansehen . . .

Ich fühle mich schlecht und immer schlechter. Keine Luft. An den

Fenstern kleben ganze Trauben von japsenden Eltern. Kleine Mädchen wollen Pipi. Draußen im Hof rauchen rebellierende Väter.

Mein Sohn gestikuliert angstvoll:

»Nicht weggehen, Papi. Ich komm' gleich dran.«

Auf allen vieren krieche ich zu Nadiwa, der Lehrerin: ob es eine Pause geben wird?

Unmöglich. Würde zu lange dauern. Jedes Kind eine Hauptrolle. Sonst werden sie eifersüchtig, und die pädagogische Mühe vieler Jahre ist beim Teufel.

Einige Elternpaare, deren Nachkommenschaft sich bereits produziert hat, entfernen sich unter den neidvollen Blicken der zurückbleibenden Mehrheit.

Auf der Bühne beginnen die Vorbereitungen zu einer biblischen Allegorie in fünf Akten. Mein Sohn trägt abermals Requisiten herbei.

Ich werfe einen verstohlenen Blick auf das Rollenbuch, das der Bruder eines Mitwirkenden in zitternden Händen hält, um notfalls als Souffleur zu fungieren:

Ägyptischer Aufseher (hebt die Peitsche): Auf, auf, ihr Faulpelze! Und hurtig an die Arbeit!

Ein Israelit: Wir schuften und schwitzen seit dem Anbruch des Morgens. Ist kein Mitleid in deinem Herzen?

Und so weiter . . .

Ich kenne viele Menschen, die niemals geheiratet und sich niemals vermehrt haben und trotzdem glücklich sind.

Noch *ein* Ton aus der hebräischen Flöte, und ich werde verrückt.

Aber da geschieht etwas Merkwürdiges. Mit einemmal nehmen die Dinge Gestalt an, die Atmosphäre wird reizvoll, undefinierbare Spannung liegt in der Luft, man muß unwillkürlich Haltung annehmen, man muß scharf aufpassen. Oben auf der Bühne hat sich ein wunderhübscher Knabe aus der Schar seiner Mitspieler gelöst. Vermutlich mein Sohn. Ja, er ist es. Er verkörpert den Dichter Scholem Alejchem oder den Erfinder der Elektrizität oder sonst jemand Wichtigen, das läßt sich so geschwind nicht feststellen.

»Häschen klein . . . Gläschen Wein . . . bla-bla-bla blubb-blubb-blubb bongo-bongo . . . das ist fein . . .«

Laut und deutlich deklamiert mein kleiner Rotkopf den Text. Ich blicke mit bescheidenem Stolz in die Runde. Und was muß ich sehen?

In den Gesichtern der Dasitzenden malt sich völlige Teilnahmslosigkeit. Einige schlafen sogar. Sie schlafen, während Amirs zauberhaft klare Stimme den Raum durchdringt. Mag sein, daß er kein schauspielerisches Genie ist, aber seine Aussprache ist einwandfrei und sein Vortrag flüssig. Niemals zuvor war so Deutliches erhört in Israel. Und sie schlafen . . .

Als er zu Ende gekommen ist, schreckt mein Applaus die Schläfrigen auf. Auch sie applaudieren. Aber ich applaudiere stärker.

Mein Sohn winkt mir zu. Bist du's, Papi?

Ja, ich bin es, mein Sohn. Und ich winke zurück.

Die Lehrerin Nadiwa macht ihrem Vorzugsschüler ein Zeichen.

»Wieso?« flüstere ich ihr zu. »Geht's denn noch weiter?«

»Was meinen Sie, ob es noch weitergeht? Jetzt fängt's ja erst richtig an. Der große historische Bilderbogen: Von der Entstehung der Welt bis zur Entstehung des Staates Israel. Mit Kommentaren und Musik . . .«

Und da erklang auch schon der erste Kommentar von der Bühne: »Am Anfang schuf Gott den Himmel und die Erde . . .«

An den Rest erinnere ich mich nicht mehr.

»Bist du ganz sicher, Ephraim? Ist es eine Einladung zum Essen?«
»Ja, soviel ich weiß . . .«
Hundertmal hatte ich es meiner Frau schon erklärt – und sie hörte
nicht auf zu fragen. Ich selbst war am Telefon gewesen, als Frau
Spiegel anrief, um uns für Mittwoch halb neun Uhr abends einzu-
laden. Ich hatte die Einladung mit Dank angenommen und den
Hörer wieder aufgelegt. Das war alles.
Nicht der Rede wert, sollte man meinen. Weit gefehlt! Wir haben
seither kaum über etwas anderes gesprochen. Immer wieder be-
gannen wir jenes kurze Telefongespräch zu analysieren. Frau
Spiegel hatte nicht gesagt, daß es eine Einladung zum Abendessen
war. Sie hatte aber auch nicht gesagt, daß es *keine* Einladung zum
Abendessen war.
»Man lädt nicht für Punkt halb neun Gäste ein, wenn man ihnen
nichts zu essen geben will«, lautete die Interpretation, die meine
Frau sich schließlich zu eigen machte. »Es ist eine Dinnereinla-
dung.«
Auch ich war dieser Meinung. Wenn man nicht die Absicht hat,
seinen Gästen ein Abendessen zu servieren, dann sagt man beispielsweise: »Kommen Sie aber nicht vor acht«, oder: »Irgend-
wann zwischen acht und neun«, aber man sagt auf keinen Fall:
»Pünktlich um halb neun!« Ich erinnere mich nicht genau, ob Frau
Spiegel »pünktlich« gesagt hat, aber »um« hat sie gesagt. Sie hat
es sogar deutlich betont, und in ihrer Stimme lag etwas unver-
kennbar Nahrhaftes.
»Ich bin ziemlich sicher, daß es eine Einladung zum Essen ist«, war
in den meisten Fällen das Ende meiner Überlegungen. Um alle
Zweifel zu beseitigen, wollte ich sogar bei Frau Spiegel anrufen
und ihr von irgendwelchen Diätvorschriften erzählen, die ich derzeit zu beobachten hätte, und sie möchte mir nicht böse sein, wenn
ich sie bäte, bei der Zusammenstellung des Menüs darauf Rücksicht zu nehmen. Dann hätte sie Farbe bekennen müssen. Dann
hätte sich sehr rasch gezeigt, ob sie überhaupt beabsichtigte, ein
Menü zusammenzustellen. Aber so raffiniert dieser Plan ausge-
dacht war – meine Frau widersetzte sich seiner Durchführung. Es
macht, behauptete sie, keinen guten Eindruck, eine Hausfrau vor

das fait accompli zu stellen, daß man von ihr verköstigt werden will. Außerdem sei das ganz überflüssig.

»Ich kenne die Spiegels«, sagte sie. »Bei denen biegt sich der Tisch, wenn sie Gäste haben . . .«

Am Mittwoch ergab es sich obendrein, daß wir um die Mittagsstunde sehr beschäftigt waren und uns mit einem raschen, nur aus ein paar Brötchen bestehenden Imbiß begnügen mußten. Als wir uns am Abend auf den Weg zu Spiegels machten, waren wir richtig ausgehungert. Und vor unserem geistigen Auge erschien ein Buffet mit vielem kaltem Geflügel, mit Huhn und Truthahn, Gans und Ente, mit Saucen und Gemüsen und Salaten . . . Hoffentlich machen sie währenddessen keine Konversation, die Spiegels. Hoffentlich warten sie damit bis nach dem Essen . . .

Gleich beim Eintritt in die Spiegelsche Wohnung begannen sich unsere alten Zweifel aufs neue zu regen: wir waren die ersten Gäste, und die Spiegels waren noch mit dem Ankleiden beschäftigt. Unsere besorgten Blicke schweiften über den Salon, entdeckten aber keinerlei solide Anhaltspunkte. Es bot sich ihnen der in solchen Fällen übliche Anblick: eine Klubgarnitur, Fauteuils und Stühle um einen niedrigen Glastisch, auf dem sich eine große flache Schüssel mit Mandeln, Erdnüssen und getrockneten Rosinen befand, in einer bedeutend kleineren Schüssel einige Oliven, auf einer etwas größeren gewürfelte Käsestückchen mit Zahnstocher aus Plastik und schließlich ein edel geschwungenes Glasgefäß voll dünner Salzstäbchen.

Plötzlich durchzuckte mich der Gedanke, daß Frau Spiegel am Telefon vielleicht doch 8 Uhr 45 gesagt hatte und nicht 8 Uhr 30, ja vielleicht war überhaupt kein genauer Zeitpunkt genannt worden und wir hatten nur über Fellinis »8½« gesprochen.

»Was darf's zum Trinken sein?«

Der Hausherr, noch mit dem Knoten seines Schlipses beschäftigt, mixte uns einen John Collins, ein außerordentlich erfrischendes Getränk, bestehend aus einem Drittel Brandy, einem Drittel Soda und einem Drittel Collins. Wir trinken es sonst sehr gerne. Diesmal jedoch waren unsere Magennerven mehr auf Truthahn eingestellt und jedenfalls auf etwas Kompaktes. Nur mühsam konnten wir ihnen Ruhe gebieten, während wir unsere Gläser hoben.

Der Hausherr stieß mit uns an und wollte wissen, was wir von Sartre hielten. Ich nahm eine Handvoll Erdnüsse und versuchte eine Analyse des Existentialismus, soweit er uns betraf, mußte aber bald entdecken, daß mir das Material ausging. Was bedeutet denn auch eine Schüssel mit Erdnüssen und Mandeln für einen erwachsenen Menschen? Ganz ähnlich stand es um meine Frau. Sie hatte den schwarzen Oliven auf einen Sitz den Garaus gemacht und schwere Verwüstungen unter den Käsewürfeln angerichtet. Als wir auf Vietnam zu sprechen kamen, befanden sich auf dem Glastisch nur noch ein paar verlassene Gurkenscheiben.

»Augenblick«, sagte Frau Spiegel, wobei sie es fertigbrachte, gleichzeitig zu lächeln und die Augenbrauen hochzuziehen. »Ich hole noch etwas.« Und sie verließ das Zimmer, die leeren Schüsseln im Arm. Durch die offen gebliebene Tür spähten wir in die Küche, ob sich dort irgendwelche Anzeichen von Opulenz entdecken ließen. Das Ergebnis war niederschmetternd. Die Küche glich eher einem Spitalszimmer, so sterilisiert und weiß und ruhig lag sie da . . .

Inzwischen – es ging auf neun – waren noch einige Gäste erschienen. Mein Magen begrüßte jeden einzelnen mit lautem Knurren.

Ich hatte schon nach der zweiten Schüssel Erdnüsse Magenbeschwerden. Nicht daß ich gegen Erdnüsse etwas einzuwenden habe. Die Erdnuß ist ein schmackhaftes, vitaminreiches Nahrungsmittel. Aber sie ist kein Ersatz für Truthahn oder Fischsalat mit Mayonnaise.

Ich sah um mich. Meine Frau saß mit kalkweißem Gesicht mir gegenüber und griff sich in diesem Augenblick gerade an die Kehle, offenbar um den John Collins zurückzudrängen, der in ihrem Innern gegen die Gurken und die Rosinen aufbegehrte. Ich nickte ihr zu, warf mich auf eine eben eintreffende Ladung frischer Käsewürfel und verschluckte in der Eile einen Plastikzahnstocher. Frau Spiegel tauschte befremdete Blicke mit ihrem Gatten, flüsterte ihm eine zweifellos auf uns gemünzte Bemerkung ins Ohr und erhob sich, um neue Vorräte herbeizuschaffen.

Jemand äußerte gesprächsweise, daß die Zahl der Arbeitslosen im Steigen begriffen sei. »Kein Wunder«, bemerkte ich. »Das ganze Volk hungert.«

Das Sprechen fiel mir nicht leicht, denn ich hatte den Mund voller Salzstäbchen. Aber es erbitterte mich über die Maßen, dummes Geschwätz über eine angeblich steigende Arbeitslosigkeit zu hören, während inmitten eines gut eingerichteten Zimmers Leute saßen, die keinen sehnlicheren Wunsch hatten als ein Stück Brot. Meine Frau war mit dem dritten Schub Rosinen fertig geworden, und auf den Gesichtern unserer Gastgeber machten sich deutliche Anzeichen von Panik bemerkbar. Herr Spiegel füllte die auf den Schüsseln entstandenen Lücken mit Karamellen aus, aber die Lücken waren bald wiederhergestellt. Man muß bedenken, daß wir seit dem frühen Morgen praktisch keine Nahrung zu uns genommen hatten.

Die Salzstäbchen knirschten und krachten in meinem Mund, so daß ich kaum noch etwas vom Gespräch hörte. Während sie sich zu einer breiigen Masse verdickten, sicherte ich mir einen neuen Vorrat von Mandeln. Mit den Erdnüssen war es vorbei, Oliven gab es noch. Ich aß und aß. Die letzten Reste meiner sonst so vorbildlichen Selbstbeherrschung schwanden dahin. Ächzend und stöhnend stopfte ich mir in den Mund, was immer in meiner Reichweite lag. Meine Frau troff von Karamellen und sah mich aus verklebten Augen waidwund an. Sämtliche Schüsseln auf dem niedrigen Glastischchen waren kahlgefegt. Auch ich war am Ende. Ich konnte nicht mehr weiter. Als Herr Spiegel aus der Nachbarwohnung zurückkehrte und einen Teller mit Salzmandeln vor mich hinstellte, mußte ich mich abwenden. Ich glaubte zu platzen. Der bloße Gedanke an Nahrungsaufnahme verursachte mir Übelkeit. Nur kein Essen mehr sehen. Nur um Himmels willen kein Essen mehr . . .

»Hereinspaziert, meine Herrschaften!«

Frau Spiegel hatte die Tür zum anschließenden Zimmer geöffnet. Ein weißgedeckter Tisch wurde sichtbar und ein Buffet mit vielem kaltem Geflügel, mit Huhn und Truthahn, Gans und Ente, mit Saucen und Gemüsen und Salaten.

WIE UNSER SOHN AMIR DAS SCHLAFENGEHEN
ERLERNTE

Manche Kinder wollen um keinen Preis rechtzeitig schlafen gehen und sprechen aller elterlichen Mühe hohn. Wie anders unser Amir! Er geht mit einer Regelmäßigkeit zu Bett, nach der man die Uhr einstellen kann: auf die Minute genau um halb neun am Abend. Und um sieben am Morgen steht er frisch und rosig auf, ganz wie's der Onkel Doktor will und wie es seinen Eltern Freude macht.

So gerne wir von der Folgsamkeit unseres Söhnchens und seinem rechtzeitigen Schlafengehen erzählen – ein kleiner Haken ist leider dabei: Es stimmt nicht. Wir lügen, wie alle Eltern. In Wahrheit geht Amir zwischen 23.30 und 2.15 Uhr schlafen. Das hängt vom Sternenhimmel ab und vom Fernsehprogramm. Am Morgen kriecht er auf allen vieren aus dem Bett, so müde ist er. An Sonn- und Feiertagen verläßt er das Bett überhaupt nicht.

Nun verhält es sich keineswegs so, daß der Kleine sich etwa weigern würde, der ärztlichen Empfehlung zu folgen und um 20.30 Uhr schlafen zu gehen. Pünktlich zu dieser Stunde schlüpft er in sein Pyjama, sagt »Gute Nacht, liebe Eltern!« und zieht sich in sein Schlafzimmer zurück. Erst nach einem bestimmten Zeitintervall – manchmal dauert es eine Minute, manchmal anderthalb – steht er wieder auf, um seine Zähne zu putzen. Dann nimmt er ein Getränk zu sich, dann muß er Pipi machen, dann sieht er in seiner Schultasche nach, ob alles drinnen ist, trinkt wieder eine Kleinigkeit, meistens vor dem Fernsehapparat, plaudert anschließend mit dem Hund, macht noch einmal Pipi, beobachtet die Schnecken in unserem Garten, beobachtet das Programm des Jordanischen Fernsehens und untersucht den Kühlschrank auf Süßigkeiten. So wird es 2 Uhr 15 und Schlafenszeit.

Natürlich geht diese Lebensweise nicht spurlos an ihm vorüber. Amir sieht ein wenig blaß, ja beinahe durchsichtig aus, und mit den großen Ringen um seine Augen ähnelt er bisweilen einem brillentragenden Gespenst. An heißen Tagen, so ließ uns sein Lehrer wissen, schläft er mitten im Unterricht ein und fällt unter die Bank. Der Lehrer erkundigte sich, wann Amir schlafen geht. Wir antworteten: »Um halb neun. Auf die Minute.«

Lange Zeit gab es uns zu denken, daß alle anderen Kinder unserer

Nachbarschaft rechtzeitig schlafen gehen, zum Beispiel Gideon Landesmanns Töchterchen Avital. Gideon verlangt in seinem Hause strikten Gehorsam und eiserne Disziplin – er ist der Boß, daran gibt's nicht zu rütteln. Pünktlich um 20.45 Uhr geht Avital schlafen, wir konnten das selbst feststellen, als wir unlängst bei Landesmanns zu Besuch waren. Um 20.44 Uhr warf Gideon einen Blick auf die Uhr und sagte kurz, ruhig und unwidersprechlich: »Tally – Bett.«

Keine Silbe mehr. Das genügt. Tally steht auf, sagt allseits Gute Nacht und trippelt in ihr Zimmerchen, ohne das kleinste Zeichen jugendlicher Auflehnung. Wir, die beste Ehefrau von allen und ich, bergen schamhaft unser Haupt bei dem Gedanken, daß zur selben Stunde unser Sohn Amir in halbdunklen Räumen umherstreift wie Hamlet in Helsingör.

Wir schämten uns bis halb zwei Uhr früh. Um halb zwei Uhr früh öffnete sich die Tür, das folgsame Mädchen Avital erschien mit einem Stoß Zeitungen unterm Arm und fragte:

»Wo sind die Wochenendbeilagen?«

Jetzt war es an Gideon, sich zu schämen. Und seit diesem Abend erzählen wir allen unseren Gästen, daß unsere Kinder pünktlich schlafen gehen.

Im übrigen wissen wir ganz genau, was unseren Amir am rechtzeitigen Einschlafen hindert. Er hat sich diesen Virus während des Jom-Kippur-Kriegs zugezogen, als der Rundfunk bis in die frühen Morgenstunden Frontnachrichten brachte – und wir wollten unserem Sohn nicht verbieten, sie zu hören. Diesen pädagogischen Mißgriff vergilt er uns mit nächtlichen Wanderungen, Zähneputzen, Pipimachen, Hundegesprächen und Schneckenbeobachtung.

Einmal erwischte ich Amir um halb drei Uhr früh in der Küche bei einer illegalen Flasche Coca-Cola.

»Warum schläfst du nicht, Sohn?« fragte ich.

Die einigermaßen überraschende Antwort lautete:

»Weil es mich langweilt.«

Ich versuchte ihn eines Besseren zu belehren, führte zahlreiche Beispiele aus der Tierwelt an, deren Angehörige mit der Abenddämmerung einschlafen und mit der Morgendämmerung erwachen. Amir verwies mich auf das Gegenbeispiel der Eule, die seit jeher sein Ideal wäre, genauer gesagt: seit gestern. Ich erwog, ihm eine Tracht Prügel zu verabreichen, aber die beste Ehefrau von allen ließ das nicht zu; sie kann es nicht vertragen, wenn ich ihre

Kinder schlage. Also begnügte ich mich damit, ihn barschen Tons zum Schlafengehen aufzufordern. Amir ging und löste Kreuzworträtsel bis drei Uhr früh.

Wir wandten uns an einen Psychotherapeuten, der uns dringend nahelegte, die Wesensart des Kleinen nicht gewaltsam zu unterdrücken. »Überlassen Sie seine Entwicklung der Natur«, riet uns der erfahrene Fachmann. Wir gaben der Natur eine Chance, aber sie nahm sie nicht wahr. Als ich Amir kurz darauf um halb vier Uhr früh dabei antraf, wie er mit farbiger Kreide Luftschiffe an die Wand malte, verlor ich die Nerven und rief den weichherzigen Seelenarzt an.

Am anderen Ende des Drahtes antwortete eine Kinderstimme: »Papi schläft.«

Die Rettung kam während der Pessach-Feiertage. Sie kam nicht sofort. Am ersten schulfreien Tag blieb Amir bis 3.45 Uhr wach, am zweiten bis 4.20 Uhr. Sein reges Nachtleben ließ uns nicht einschlafen. Was half es, Schafe zu zählen, wenn unser eigenes kleines Lamm hellwach herumtollte.

Es wurde immer schlimmer und schlimmer. Amir schlief immer später und später ein. Die beste Ehefrau von allen wollte ihm eine Tracht Prügel verabreichen, aber ich ließ das nicht zu; ich kann es nicht vertragen, wenn sie meine Kinder schlägt.

Und dann, urplötzlich, hatte sie den erlösenden Einfall.

»Ephraim«, sagte sie und setzte sich ruckartig im Bett auf, »wie spät ist es?«

»Zehn nach fünf«, gähnte ich.

»Ephraim, wir müssen uns damit abfinden, daß wir Amir nicht auf eine normale Einschlafzeit zurückschrauben können. Wie wär's, und wir schrauben ihn nach vorn?«

So geschah's. Wir gaben Amirs umrandeten Augen jede Freiheit, ja, wir ermunterten ihn, überhaupt nicht zu schlafen:

»Geh ins Bett, wenn du Lust hast. Das ist das Richtige für dich.«

Unser Sohn erwies sich als höchst kooperativ, und zwar mit folgendem Ergebnis:

Am dritten Tag der Behandlung schlief er um 5.30 Uhr ein und wachte um 13 Uhr auf.

Am achten Tag schlief er von 9.40 Uhr bis 18.30 Uhr.

Noch einige Tage später wurde es 15.30 Uhr, als er schlafen ging, und Mitternacht, als er erwachte.

Am siebzehnten Tag ging er um sechs Uhr abends schlafen und

stand mit den Vögeln auf. Und am letzten Tag der insgesamt drei-
wöchigen Ferien hatte Amir sich eingeholt. Pünktlich um halb
neun Uhr abends schlief er ein, pünktlich um sieben Uhr morgens
wachte er auf. Und dabei ist es geblieben. Unser Sohn schläft so
regelmäßig, daß man die Uhr nach ihm richten kann. Wir sagen
das nicht ohne Stolz.

Es ist allerdings auch möglich, daß wir lügen, wie alle Eltern.

SO KLEBEN WIR ALLE TAGE

Vor einigen Monaten machte ein unbekanntes Genie die Entdeckkung, daß Bilderbücher nur noch dann auf das Interesse des Kleinkindes rechnen dürfen, wenn das Kleinkind die Bilder einkleben und mit dem übrigbleibenden Klebstoff Möbel und Teppiche bekleckern kann. Das Resultat dieser Entdeckung ist ein Album, an dem – neueren Statistiken zufolge – bereits 40% der Ehen unseres Landes zugrunde gegangen sind. Das Album heißt »Die Wunder der Welt«. Es umfaßt insgesamt 46 Blätter, deren jedes Platz für insgesamt 9 einzuklebende Bilder bietet, welche in der Spielwarenhandlung Selma Blum angekauft werden müssen. Die Bilder sind von hohem erzieherischem Wert, weil sie das Kleinkind auf lustige, leicht faßliche und vielfach farbige Art über den Werdegang unseres Planeten belehren, angefangen von den prähistorischen Ungeheuern über die Pyramiden bis zu den modernen Druckerpressen, die in der kürzesten Zeit 100 000 Bilder herstellen, damit sie das Kleinkind in etwas längerer Zeit einkleben kann. Die Rotationsmaschinen arbeiten 24 Stunden am Tag. Sie arbeiten für meinen Sohn Amir.

Der Trick dieser neumodischen Erziehungsmethode besteht darin, daß Frau Blum die Bilder in geschlossenen Umschlägen verkauft und daß die Kinder immer eine Unzahl von Duplikaten erwerben, bevor sie ein neues Bild finden. Damit ruinieren sie einerseits die elterlichen Finanzen, entwickeln jedoch aufgrund der sich ergebenden Tauschwerte schon frühzeitig einen gesunden Sinn für spätere Börsentransaktionen.

Mein Sohn Amir zeigt auf diesem Gebiet ein sehr beachtliches Talent. Man kann ruhig sagen, daß er den Markt beherrscht. Seit Monaten investiert er sein Taschengeld ins Bildergeschäft. Sein Zimmer quillt über von den Wundern der Welt. Wenn man eine Lade öffnet, taumelt ein Dutzend Brontosaurier hervor.

»Sohn«, fragte ich ihn eines Tages, »dein Album kann längst keine Wunder mehr fassen. Warum kaufst du noch immer welche?«

»Für alle Fälle«, antwortete Amir.

Zu seiner Ehre muß gesagt sein, daß er keine Ahnung hat, was er da überhaupt einklebt. Er liest die dazugehörigen Texte nicht. Über die Zentrifugalkraft weiß er zum Beispiel nichts anderes, als daß er von seinem Freund Gilli dafür zwei Schwertfische und eine Messerschmittmaschine Nr. 109 bekommen hat.

Außerdem stiehlt er. Ich entdeckte das während eines meiner seltenen Nachmittagsschläfchen, als ich zufällig die Augen öffnete und meinen rothaarigen Nachkommen dabei ertappte, wie er in meinen Hosentaschen etwas suchte.

»Was tust du da?« fragte ich.

»Ich suche Geld. Gilli braucht einen Seeigel.«

»Da soll doch der liebe Gilli von seinem Papi das Geld stehlen.«

»Kann er nicht. Sein Papi ist nervös.«

Ich beriet mich mit der Mutter des Delinquenten. Wir beschlossen, uns mit Amirs Lehrerin zu beraten, die ihrerseits noch einige andere Mitglieder des Lehrkörpers hinzuzog. Es wurde eine massenhaft besuchte Elternversammlung.

Nach Meinung des Lehrkörpers beläuft sich die Anzahl der im Besitz der Schülerschaft befindlichen Bildvorlagen auf 3 bis 4 Millionen in jeder Klasse.

»Vielleicht«, gab einer der Pädagogen zu bedenken, »sollte man die Steuerbehörde auf den exzessiven Profit der Bilderzeuger aufmerksam machen. Das würde die Produktion vielleicht ein wenig eindämmen.«

Der Vorschlag fand keine Zustimmung. Offenbar befanden sich auch unter den anwesenden Eltern mehrere exzessive Profitmacher.

Mein Diskussionsbeitrag bestand in der sorgenvollen Mitteilung, daß Amir zu stehlen begänne.

Allgemeines Gelächter antwortete mir.

»Mein Sohn«, berichtete eine gebeugte Mutter, »hat unlängst einen bewaffneten Raubüberfall unternommen. Er drang mit einem Messer auf seinen Großvater ein, der sich geweigert hatte, ihm Geld für den Ankauf von Bildern zu geben.«

Mehrere Väter schlugen einen langfristigen Boykott der Papierindustrie vor, andere wollten für mindestens ein halbes Jahr den Ankauf von Klebstoff verbieten lassen. Ein Gegenvorschlag, vorgebracht von einem gewissen Herrn Blum, empfahl das sogenannte »dänische System«, das sich bekanntlich auf dem Gebiet der Pornographie ausgezeichnet bewährt hatte: man sollte den Kindern so viele Bilder kaufen, bis sie endgültig übersättigt wären. Dieser Vorschlag wurde angenommen.

Am nächsten Tag brachte ich einen Korb mit neuen Bildern nach

Hause, darunter die »Kultur der Azteken«, und »Leonardos erstes Flugzeug«.

Amir nahm mein Geschenk ohne sonderliche Gefühlsäußerungen entgegen. Er verwendete die Bilder zu Tauschzwecken und stopfte die Erträgnisse in alle noch aufnahmefähigen Schubladen und Kasten. Den Überschuß deponierte er im Vorzimmer. Seither muß ich mir allmorgendlich mit einer Schaufel den Weg zur Haustür freilegen. Das Badezimmer ist von Dinosauriern blockiert. Und das Album, mit dem die ganze Misere angefangen hat, ist längst unter den »Gesteinsbildungen der Tertiärzeit« begraben.

Gestern gelang es mir, mein Arbeitszimmer so weit zu säubern, daß ich mich in den frei gewordenen Schaukelstuhl setzen konnte, um ein wenig zu lesen.

Plötzlich stand mein Sohn vor mir, in der Hand einen Stapel von etwa 50 identischen Fotos des bekannten Fußballstars Giora Spiegel.

»Ich habe auch schon 22 Pelé und ein Dutzend Bobby Moore«, informierte er mich nicht ohne Stolz.

Die »Welt des Sports« war auf der Bildfläche erschienen und machte den »Wundern der Welt« erbarmungslose Konkurrenz.

Ich verabschiede mich von meinen Lesern. Es war schön, jahrelang für Sie zu schreiben. Ich danke Ihnen für Ihre treue Gefolgschaft. Sollten Sie längere Zeit nichts von mir hören, dann suchen Sie nach meiner Leiche am besten in der linken Ecke des Wohnzimmers unter dem Haufen schußkräftiger südamerikanischer Flügelstürmer und europäischer Tormänner.

»Papi!«

So pflegen mich meine Kinder anzureden. Diesmal war es Amir. Er stand vor meinem Schreibtisch, in der einen Hand das farbenprächtige Album »Die Wunder der Welt«, in der andern Hand den Klebstoff, mit dem allerlei farbenprächtige Bildlein in die betreffenden Quadrate einzukleben waren.

»Papi«, fragt mein blauäugiger, rothaariger Zweitgeborener, »stimmt es, daß sich die Erde um die Sonne dreht?«

»Ja«, antwortete Papi. »Natürlich.«

»Woher weißt du das?« fragt mein Zweitgeborener.

Da haben wir's. Das ist der Einfluß von Apollo 17. Der kluge Knabe will das Sonnensystem erforschen. Gut. Kann er haben.

»Jeder Mensch weiß das«, erkläre ich geduldig. »Das lernt man in der Schule.«

»Was hast du in der Schule gelernt? Sag's mir.«

Tatsächlich: Was habe ich gelernt? Meine einzige Erinnerung an die Theorie des Universums besteht darin, daß unser Physikprofessor eine Krawatte mit blauen Tupfen trug und minutenlang – ohne Unterbrechung, aber dafür mit geschlossenen Augen – reden konnte. Er hatte schadhafte Zähne. Die obere Zahnreihe stand vor. Wir nannten ihn »das Pferd«, wenn mein Gedächtnis mich nicht trügt. Ich werde es gelegentlich einer Kontrolle unterziehen.

»Also? Woher weißt du das?« fragt Amir aufs neue.

»Frag nicht so dumm. Es gibt unzählige Beweise dafür. Wenn es die Sonne wäre, die sich um die Erde dreht, statt umgekehrt, würde man ja von einem Erdsystem sprechen und nicht von einem Sonnensystem.«

Amir scheint keineswegs überzeugt. Ich muß ihm eindrucksvollere Beweise liefern, sonst kommt er auf schlechte Gedanken. Er ist ja, das soll man nie vergessen, rothaarig.

»Schau her, Amir.« Ich ergreife einen weißen Radiergummi und halte ihn hoch. »Nehmen wir an, das ist der Mond. Und die Schachtel mit den Reißnägeln ist die Erde.«

Jetzt bin ich auf dem richtigen Weg. Die Schreibtischlampe übernimmt die Rolle der Sonne, und Papi führt mit einer eleganten Bewegung den Radiergummi und die Schachtel mit den Reißnägeln um die Schreibtischlampe herum, langsam, langsam, kreisförmig, kreisförmig . . .

»Siehst du den Schatten? Wenn der Radiergummi sich gerade in der Mitte seiner Bahn befindet, liegt die Schachtel mit den Reißnägeln im Schatten . . .«

»So?« Die Stimme meines Sohnes klingt zweiflerisch. »Sie liegt aber auch im Schatten, wenn du die Lampe hin und her drehst und die Schachtel auf dem Tisch liegen läßt. Oder?«

Man sollte nicht glauben, wie unintelligent ein verhältnismäßig erwachsenes Kind fragen kann.

»Konzentrier dich gefälligst!« Ich erhebe meine Stimme, auf daß mein Sohn den Ernst der Situation erfasse. »Wenn ich die Lampe bewege, würde der Schatten ja vollständig auf die eine Seite fallen und nicht auf die andere.«

Es ist nicht der Schatten, der jetzt fällt, sondern es fällt die Schachtel mit den Reißnägeln, und zwar auf den Boden. Wahrscheinlich infolge der Zentrifugalkraft. Der Teufel soll sie holen.

Ich bücke mich, um die über den ganzen Erdball verstreuten Reißnägel aufzulesen.

Bei dieser Gelegenheit fällt mein Blick auf meines Sohnes Socken.

»Du siehst wieder einmal wie ein Landstreicher aus!« bemerke ich tadelnd.

Was nämlich meines Sohnes Socken betrifft, so hängen sie bis über die Schuhe herunter. Das tun sie immer. Ich habe noch nie ein so schlampiges Kind gesehen.

Während ich das Material aus dem Universum rette, richte ich mich langsam auf und versuche mich an die Theorien von Galileo Galilei zu erinnern, der diese ganze Geschichte damals an irgendeinem Königshof oder sonstwo ins Rollen gebracht hat. Das weiß ich sehr gut, weil ich die gleichnamige Aufführung im Kammertheater gesehen habe, mit Salman Levisch in der Titelrolle. Er hat dem Großinquisitor, dargestellt von Abraham Ronai, heroischen Widerstand geleistet, ich sehe es noch ganz deutlich vor mir. Leider bedeutet das jetzt keine Hilfe für mich.

Auch der Himmel hilft mir nicht. Ich bin ans Fenster getreten und habe hinausgeschaut, ob sich dort oben etwas bewegt.

Aber es regnet.

Ich schicke meinen Sohn in sein Zimmer zurück und empfehle ihm, über seine dumme Fragen selbst nachzudenken, damit er sieht, wie dumm sie ist.

Amir entfernt sich beleidigt.

Kaum ist er draußen, stürze ich zum Lexikon und beginne fieberhaft nach einem einschlägigen Himmelsforscher zu blättern . . . Ko . . . Kopenhagen . . . da: Kopernikus, Nikolaus, deutscher Astronom (1473–1543) . . . Eine halbe Seite ist ihm gewidmet. Eine volle halbe Seite und kein einziges Wort über die Erddrehung. Offenbar haben auch die Herausgeber des Lexikons vergessen, was man ihnen in der Schule beigebracht hat.

Ich begebe mich in das Zimmer meines Sohnes. Ich lege meinem Sohn mit väterlicher Behutsamkeit die Hand auf die Stirne und frage ihn, wie es ihm geht.

»Du hast überhaupt keine Ahnung von Astronomie, Papi«, läßt mein Sohn sich vernehmen.

Höre ich recht? Ich habe keine Ahnung? Ich?! Unverschämt, was so ein kleiner Bengel sich erfrecht!

Die Erinnerung an Salman Levisch gibt mir neue Kraft:

»Und sie bewegt sich doch!« erkläre ich mit Nachdruck. »Das hat Galileo vor seinen Richtern gesagt. Kapierst du das denn nicht, du Dummkopf? Und sie bewegt sich doch!«

»In Ordnung«, sagt Amir. »Sie bewegt sich. Aber wieso um die Sonne?«

»Um was denn sonst? Vielleicht um die Großmama?«

Kalter Schweiß tritt mir auf die Stirne. Mein väterliches Prestige steht auf dem Spiel.

»Das Telefon!« Ich sause zur Türe und in mein Zimmer hinunter, wirklich zum Telefon, obwohl es natürlich nicht geläutet hat. Vielmehr rufe ich jetzt meinen Freund Bruno an, der als Biochemiker oder etwas dergleichen tätig ist.

»Bruno«, flüstere ich in die Muschel, »wieso wissen wir, daß sich die Erde um die Sonne dreht?«

Sekundenlange Stille. Dann höre ich Brunos gleichfalls flüsternde Stimme. Er fragt mich, warum ich flüstere.

Ich antworte, daß ich heiser bin, und wiederhole meine Frage nach der Erddrehung.

»Aber das haben wir doch in der Schule gelernt«, stottert der Biochemiker oder was er sonst sein mag. »Wenn ich nicht irre, wird es durch die vier Jahreszeiten bewiesen . . . besonders durch den Sommer . . .«

»Eine schöne Auskunft, die du mir da gibst«, zische ich ihm ins Ohr. »Das mit den vier Jahreszeiten bleibt ja auch bestehen, wenn die Lampe bewegt wird und die Schachtel mit den Reißnägeln nicht herunterfällt! Adieu.«

Als nächstes versuche ich es bei meiner Freundin Dolly. Sie hat einmal Jus studiert und könnte von damals noch etwas wissen.

Dolly erinnert sich auch wirklich an das Experiment mit Fouchers Pendel aus der Physikstunde. Soviel sie weiß, wurde das Pendel auf einem frei stehenden Kirchturm aufgehängt und hat dann Linien in den Sand gezogen. Das war der Beweis.

Allmählich wird mir die Inquisition sympathisch. Freche, vorlaute Kinder, die nur darauf aus sind, ihre Altvorderen zu blamieren, sollten sich hüten! Woher ich weiß, daß die Erde sich um die Sonne dreht? Ich weiß es und Schluß. Ich spüre es in allen Knochen.

Mühsam schleppe ich mich an meinen Schreibtisch zurück, um weiter zu arbeiten. Wo ist der Radiergummi?

»Papi!« Der Rotkopf steht schon wieder vor mir.

»Also bitte – was dreht sich?«

Tiefe Müdigkeit überkommt mich. Mein Kopf schmerzt. Man kann nicht sein ganzes Leben kämpfen, schon gar nicht gegen die eigenen Kinder.

»Alles dreht sich«, murmle ich. »Was geht's dich an?«

»Du meinst, die Sonne dreht sich?«

»Darüber streiten sich die Gelehrten. Heutzutage ist alles möglich. Und zieh schon endlich die Socken hinauf!«

Damit Klarheit herrscht: Geld spielt bei uns keine Rolle, solange wir noch Kredit haben.

Die Frage ist, was wir einander zu den vielen Festtagen des Jahres schenken sollen. Wir beginnen immer schon Monate vorher an Schlaflosigkeit zu leiden. Der Plunderkasten »Zur weiteren Verwendung« kommt ja für uns selbst nicht in Betracht. Es ist ein fürchterliches Problem.

Vor drei Jahren, zum Beispiel, schenkte mir die beste Ehefrau von allen eine komplette Fechtausrüstung und bekam von mir eine zauberhafte Stehlampe. Ich fechte nicht.

Vor zwei Jahren verfiel meine Frau auf eine Schreibtischgarnitur aus karrarischem Marmor – samt Briefbeschwerer, Brieföffner, Briefhalter und Briefmappe –, während ich sie mit einer zauberhaften Stehlampe überraschte. Ich schreibe keine Briefe.

Voriges Jahr erreichte die Krise ihren Höhepunkt, als ich meine Frau mit einer zauberhaften Stehlampe bedachte und sie mich mit einer persischen Wasserpfeife. Ich rauche nicht.

Heuer trieb uns die Suche nach passenden Geschenken beinahe in den Wahnsinn. Was sollten wir einander noch kaufen? Gute Freunde informierten mich, daß sie meine Frau in lebhaftem Gespräch mit einem Grundstücksmakler gesehen hätten. Wir haben ein gemeinsames Bankkonto, für das meine Frau auch allein zeichnungsberechtigt ist.

Erbleichend nahm ich sie zur Seite:

»Liebling, das muß aufhören. Geschenke sollen Freude machen, aber keine Qual. Deshalb werden wir uns nie mehr den Kopf darüber zerbrechen, was wir einander schenken sollen. Ich sehe keinen Zusammenhang zwischen einem Feiertag und einem schottischen Kilt, den ich außerdem niemals tragen würde. Wir müssen vernünftig sein, wie es sich für Menschen unseres Intelligenzniveaus geziemt. Laß uns jetzt ein für allemal schwören, daß wir einander keine Geschenke mehr machen werden!«

Meine Frau fiel mir um den Hals und näßte ihn mit Tränen der Dankbarkeit. Auch sie hatte an eine solche Lösung gedacht und hatte nur nicht gewagt, sie vorzuschlagen. Jetzt war das Problem für alle Zeiten gelöst. Gott sei Dank.

Am nächsten Tag fiel mir ein, daß ich meiner Frau zum bevorstehenden Fest doch etwas kaufen müßte. Als erstes dachte ich an eine zauberhafte Stehlampe, kam aber wieder davon ab, weil unsere Wohnung durch elf zauberhafte Stehlampen nun schon hinlänglich beleuchtet ist. Außer zauberhaften Stehlampen wüßte ich aber für meine Frau nichts Passendes, oder höchstens ein Brillantdiadem – das einzige, was ihr noch fehlt. Einem Zeitungsinserat entnahm ich die derzeit gängigen Preise und ließ auch diesen Gedanken wieder fallen.

Zehn Tage vor dem festlichen Datum ertappte ich meine Frau, wie sie ein enormes Paket in unsere Wohnung schleppte. Ich zwang sie, es auf der Stelle zu öffnen. Es enthielt pulverisierte Milch. Ich öffnete jede Dose und untersuchte den Inhalt mit Hilfe eines Siebs auf Manschettenknöpfe, Krawattennadeln und ähnliche Fremdkörper. Ich fand nichts. Trotzdem eilte ich am nächsten Morgen, von unguten Ahnungen erfüllt, zur Bank. Tatsächlich: meine Frau hatte 260 Pfund von unserem Konto abgehoben, auf dem jetzt nur noch 80 Aguroth verblieben, die ich sofort abhob. Heißer Zorn überkam mich. Ganz wie du willst, fluchte ich in mich hinein. Dann kaufe ich dir also den Astrachanpelz, der uns ruinieren wird. Dann beginne ich jetzt Schulden zu machen, zu trinken und Kokain zu schnupfen. Ganz wie du willst.

Gerade als ich nach Hause kam, schlich meine Frau, abermals mit einem riesigen Paket, sich durch die Hintertüre ein. Ich stürzte auf sie zu, entwand ihr das Paket und riß es auf – natürlich. Herrenhemden. Eine Schere ergreifen und die Hemden zu Konfetti zerschneiden, war eins.

»Da – da –!« stieß ich keuchend hervor. »Ich werde dich lehren, feierliche Schwüre zu brechen!«

Meine Frau, die soeben meine Hemden aus der Wäscherei geholt hatte, versuchte einzulenken. »Wir sind erwachsene Menschen von hohem Intelligenzniveau«, behauptete sie. »Wir müssen Vertrauen zueinander haben. Sonst ist es mit unserem Eheleben vorbei.«

Ich brachte die Rede auf die abgehobenen 260 Pfund. Mit denen hätte sie ihre Schulden beim Friseur bezahlt, sagte sie.

Einigermaßen betreten brach ich das Gespräch ab. Wie schändlich von mir, meine kleine Frau, die beste Ehefrau von allen, so völlig grundlos zu verdächtigen.

Das Leben kehrte wieder in seine normalen Bahnen zurück.

Im Schuhgeschäft sagte man mir, daß man die gewünschten Schlangenlederschuhe für meine Frau ohne Kenntnis der Fußmaße nicht anfertigen könne, und ich sollte ein Paar alte Schuhe als Muster bringen.

Als ich mich mit dem Musterpaar unterm Arm aus dem Haustor drückte, sprang meine Frau, die dort auf der Lauer lag, mich hinterrücks an. Eine erregte Szene folgte.

»Du charakterloses Monstrum!« sagte meine Frau. »Zuerst wirfst du mir vor, daß ich mich nicht an unsere Abmachung halte, und dann brichst du sie selber! Wahrscheinlich würdest du mir auch noch Vorwürfe machen, weil ich dir nichts geschenkt habe . . .«

So konnte es nicht weitergehen. Wir erneuerten unseren Eid. Im hellen Schein der elf zauberhaften Stehlampen schworen wir uns zu, bestimmt und endgültig keine Geschenke zu kaufen. Zum erstenmal seit Monaten zog Ruhe in meine Seele ein.

Am nächsten Morgen folgte ich meiner Frau heimlich auf ihrem Weg nach Jaffa und war sehr erleichtert, als ich sie ein Spezialgeschäft für Damenstrümpfe betreten sah. Fröhlich pfeifend kehrte ich nach Hause zurück. Das Fest stand bevor, und es würde keine Überraschung geben. Endlich!

Auf dem Heimweg machte ich einen kurzen Besuch bei einem mir befreundeten Antiquitätenhändler und kaufte eine kleine chinesische Vase aus der Ming-Periode. Das Schicksal wollte es anders. Warum müssen die Autobusfahrer auch immer so unvermittelt stoppen. Ich versuchte die Scherben zusammenzuleimen, aber das klappte nicht recht. Um so besser. Wenigstens kann mich meine Frau keines Vertragsbruches zeihen.

Meine Frau empfing mich im Speisezimmer, festlich gekleidet und mit glückstrahlendem Gesicht. Auf dem großen Speisezimmertisch sah ich, geschmackvoll arrangiert, einen neuen elektrischen Rasierapparat, drei Kugelschreiber, ein Schreibmaschinenfutteral aus Ziegenleder, eine Schachtel Skiwachs, einen Kanarienvogel komplett mit Käfig, eine Brieftasche, eine zauberhafte Stehlampe, einen Radiergummi und ein Koffergrammophon (das sie bei dem alten Strumpfhändler in Jaffa unter der Hand gekauft hatte).

Ich stand wie gelähmt und brachte kein Wort hervor. Meine Frau starrte mich ungläubig an. Sie konnte es nicht fassen, daß ich mit leeren Händen gekommen war. Dann brach sie in konvulsivisches Schluchzen aus:

»Also so einer bist du. So behandelst du mich. Einmal in der Zeit könntest du mir eine kleine Freude machen – aber das fällt dir ja gar nicht ein. Pfui, pfui, pfui. Geh mir aus den Augen. Ich will dich nie wieder sehen . . .«

Erst als sie geendet hatte, griff ich in die Tasche und zog die goldene Armbanduhr mit den Saphiren hervor.

Kleiner, dummer Liebling.

Einem Neueinwanderer wie mir können seltsame Dinge passieren.
Zum Beispiel kann er eines Morgens erwachen und sich mit zu-
friedenem Lächeln an den soeben geträumten Traum erinnern, in
dem er mit seiner Großmutter im fernen ungarischen Provinz-
städtchen Hodmezövasárhely fließend hebräisch gesprochen hat.
Das ist, meiner Meinung nach, der höchste Gipfel der Akklimati-
sierung. (Der zweithöchste wäre, daß einem die israelische Küche
zu schmecken beginnt.)
Jedenfalls tut es gut, von Zeit zu Zeit im Hasten des Alltags inne-
zuhalten und sich zu fragen, ob von den vergangenen Zeiten des
ungarischen Exils außer dem Akzent noch etwas übriggeblieben
ist.
Die vor kurzem von mir veranstaltete Herzensprüfung ergab als
einziges Resultat, daß ich nur ungarisch dividieren kann. Addieren
und subtrahieren kann ich bereits hebräisch, auch mit dem Multiplizieren klappt es halbwegs, aber die Division, das weiß jedes
Kind, ist eine ungarische Domäne. Ich staune immer wieder, daß
es Menschen gibt, die sich ohne ungarische Sprachkenntnisse auf
diesem Gebiet zurechtfinden.
Meinem Sohn Amir gelingt das ohne Mühe, es sei denn, daß er
gelegentlich seinen Vater zu Hilfe ruft, wenn er mit der mathematischen Hausaufgabe nicht weiterkommt. Ich pflege dann das mir
gestellte Problem im Kopf und in Eile ungarisch zu berechnen und
verlautbare das Ergebnis in der Sprache der Bibel, vorausgesetzt,
daß ich überhaupt zu einem Ergebnis gelange, was durchaus nicht
immer der Fall ist.
Weit häufiger muß ich meinen Zweitgeborenen darauf hinweisen,
daß Hausaufgaben nicht dazu da sind, unter Mitwirkung des Fa-
milienoberhauptes gemacht zu werden.
»Setz dich schön hin und konzentrier dich«, lautet mein pädagogischer Ratschlag.
Es wäre ja auch eine völlig verfehlte Erziehungsmethode, ihm
Einblick in die Tatsache zu gewähren, daß ich zwischen einem ech-
ten und einem unechten Bruch nicht unterscheiden kann, geschweige denn zwischen einer arithmetischen und einer geome-
trischen Reihe.

»Papi«, fragt Amir, »ist es möglich, eine Grundziffer auch als Dezimalbruch auszudrücken?«

»Möglich ist alles«, antworte ich. »Es ist eine Frage der Willenskraft. Geh in dein Zimmer.«

Diese Dezimalbrüche werden mich noch in den Wahnsinn treiben. Amirs Übungsbuch strotzt von ihnen. Alles wird dort gebrochen, alles ist ein Siebzehntel von irgend etwas anderem oder achtunddreißig Hundertneuntel. Ich habe sogar einen Bruch namens 8/6371 entdeckt, ein deutliches Symptom unserer zerbröckelnden Gesellschaftsordnung. Was soll das?

In meinem Alter will man nicht unausgesetzt an die ungelösten Probleme der Jugend erinnert werden. Man will seine Ruhe haben.

Und dann, urplötzlich, wird in Japan ein Raumforschungs-Institut gegründet und produziert einen Taschencomputer. Dieser Miniaturapparat vom Umfang einer gut entwickelten Zündholzschachtel löst die kompliziertesten Rechenaufgaben im Kopf und hat den enormen wissenschaftlichen Vorteil, daß man ihn ohne Schwierigkeit durch den Zoll schmuggeln kann.

Ein Exemplar dieses japanischen Wunders steht jetzt griffbereit auf meinem Schreibtisch. Wann immer ich einer mathematischen Herausforderung begegne, spiele ich auf seiner Tastatur wie auf einem wohltemperierten Klavier. Ich erfinde sogar schwer lösbare Probleme, wie etwa:

$$\frac{378,56973}{63,41173} =$$

In der Vor-Computer-Zeit hätte ich beim bloßen Anblick einer solchen Ziffernsammlung einen Tobsuchtsanfall erlitten, und wenn meine Zukunft von der Lösung dieser Aufgabe abhängig gewesen wäre, hätte ich gesagt: Nehmt meine Zukunft und laßt mich in Frieden. Seit ich die Wunderschachtel besitze, schreckt mich nichts mehr. Ich drücke auf ein paar Knöpfe, und die Antwort ist da.

Leider ist auch mein Sohn Amir dahintergekommen, wie einfach das Leben sein kann. Mit dem tierhaften Instinkt des Kindes hat er entdeckt, welche Erleichterungen der technische Fortschritt auch für ihn bereithält.

Als ich gestern nach Hause kam, fand ich ihn an meinem Schreibtisch sitzend, links vor sich das aufgeschlagene Übungsbuch und rechts das magische Kästchen, dessen Tasten er mit unglaublicher Virtuosität behandelte.

»Was fällt dir ein?« entrüstete ich mich. »Mach deine Hausaufgaben selbst!«

Amir hielt mir wortlos die Aufgabe unter die Nase, die ihm das Übungsbuch vorschrieb; sie lautete:

»Ein Mann verfügt in seinem Testament folgende Aufteilung seines Vermögens: $2/17$ gehen an seine Frau, 31,88 Prozent der noch vorhandenen Summe an seinen ältesten Sohn, $49/107$ des Restbetrags an den zweitältesten und die nunmehr verbleibende Hinterlassenschaft an seine Tochter, die $71\,407^{1}/_{4}$ Pfund erhält. Wieviel erhält jeder der anderen Erben?«

Mir schien aus alledem hervorzugehen, daß der Verblichene entweder ein höchst unausgeglichener Charakter war oder daß er sich noch übers Grab hinaus an seiner Familie, mit der er offenbar in Unfrieden gelebt hatte, rächen wollte.

Aber das berechtigte meinen Sohn und Erben Amir noch lange nicht, den Familienzwist durch Fingerübungen auf einem Computer zu regeln. Dementsprechend ermahnte ich ihn auch:

»Mein liebes Kind, Arithmetik wird nicht mit Maschinen betrieben, sondern mit Papier und Bleistift.«

»Warum?« fragte Amir.

»Weil du nicht immer einen Computer zur Hand hast. Was tätest du zum Beispiel, wenn die Batterie nicht funktioniert?«

»Ich kauf' eine neue.«

»Und am Sabbath?«

»Borg' ich mir Gillys Computer aus.«

»Und wenn er nicht zu Hause ist?«

»Dann frag' ich dich.«

Die typische Antwort eines Rothaarigen. Außerdem ist Gilly nicht der einzige seiner Freunde, der sich im Besitz eines Computers befindet. Fast jeder dieser widerlichen Rangen hat einen. Ihre verantwortungslosen Eltern schmuggeln die kleinen Zauberschachteln durch den Zoll und ziehen eine neue, verrottete Generation auf, eine erbärmliche Computer-Generation, die nicht mehr dividieren kann, in keiner wie immer gearteten Sprache.

Ich meinerseits habe das Problem mit einer lässigen Handbewegung gelöst.

Meine Hand bewegte sich – ich weiß nicht, ob durch Zufall oder mit Absicht – so heftig, daß ihr das kleine japanische Wunderwerk entglitt und auf den Boden fiel, wo es in seine Bestandteile zerschellte.

Ich kniete nieder und sammelte die Scherben. Es befand sich auch nicht das kleinste Rädchen darunter, kein Mechanismus, überhaupt nichts Geheimnisvolles. Nur eine Anzahl linierter Papierstreifen mit Druckzeichen. Und dieses unscheinbare Ding ist imstande, die kompliziertesten Rechnungen durchzuführen, in Sekundenschnelle mathematische Aufgaben zu lösen, die mir, einem angesehenen Schriftsteller und Kulturfaktor, die Haare ergrauen lassen. Wie ist das möglich? Welcher Dämon ist hier am Werk? Ich habe Angst.

Amir, mein furchtloser Sohn, nahm die Nachricht vom Hinscheiden meines Computers mit verdächtiger Gelassenheit zur Kenntnis.

Auch seine Mutter, die beste Ehefrau von allen, schöpfte Verdacht:

»Ephraim«, sagte sie, »es würde mich nicht überraschen, wenn Amir einen eigenen Computer hätte.«

Wir untersuchten Amirs Zimmer mit elterlicher Gründlichkeit, aber wir fanden nichts. Wahrscheinlich verfügt seine Schulklasse über ein gut getarntes Computer-Versteck. Diese Dinger werden neuerdings in immer kleinerer Ausführung hergestellt. Demnächst wird man sie in der Ohrmuschel unterbringen können.

Wie immer dem sei – Amir bekommt in Mathematik die besten Noten und lächelt wie Mona Lisa junior.

Er hat recht. Die Zukunft gehört den Computern und den Zwergen. Mir bleibt nichts übrig, als ungarisch zu fluchen. Dividieren kann ich auch ungarisch nicht mehr.

FRANKIE

Ich möchte nicht mißverstanden werden: Ich weiß zwischen Sinatra dem Teenager-Idol und Sinatra dem Philanthropen sehr wohl zu unterscheiden. Sinatra kommt nach Israel und widmet den Gesamtertrag seiner sieben Konzerte – ungefähr eine Million Pfund – der Errichtung eines interkonfessionellen Waisenhauses in Nazareth. Das ist sehr schön von ihm. Aber hat er sich damit auch schon jeder konstruktiven Kritik entzogen?

Es stört mich nicht, daß er ein Millionär ist und sich eine eigene Luftflotte hält. Mir kann's recht sein, wenn er für eine Minute im Fernsehen eine halbe Million Dollar bekommt. Warum nicht. So ist das Leben. Zumindest seines. Er steht gegen Mittag auf, fährt ins Studio, krächzt sein »Hiya, what's doin'?« ins Mikrofon, geht zur Kasse, holt die halbe Million ab und braucht bis ans Ende seiner Tage nicht mehr zu arbeiten. Na und? Wo steht geschrieben, daß man nur Suppen und Rasierklingen über ihrem Wert verkaufen darf, aber keine Sänger? Ich gönne ihm das Geld von Herzen.

Was ich ihm mißgönne, sind seine Erfolge beim weiblichen Geschlecht.

Wenn die Großen der Flimmerleinwand, des Fernsehens, der Konzertsäle und der Schallplattenindustrie das Bedürfnis haben, jede Nacht mit einer anderen wohlproportionierten Blondine zu verbringen, so ist das ganz und gar ihre Sache. Und wenn ihnen immer wieder die erforderlichen Damen zum Opfer fallen, so sympathisiere ich mit den Opfern. Sie können sich nicht helfen. Sie werden vor diesen unwiderstehlichen Muskelprotzen mit der athletischen Figur, vor diesen Charmeuren mit dem betörenden Lächeln, vor diesen Elegants mit dem verheißungsvollen Mienenspiel ganz einfach bewußtlos und schmelzen dahin. Schön und gut. Aber Frankie? Diese unterernährte Zitrone? Was ist an ihm so großartig? Das soll man mir endlich sagen!

»Ich weiß es nicht«, sagt die beste Ehefrau von allen. »Er ist . . . er ist göttlich . . . Nimm die Hand von meiner Gurgel!«

Göttlich. Das wagt mir meine gesetzlich angetraute Lebensgefährtin ins Gesicht zu zwitschern. Ich halte ihr die heutige Zeitung mit dem Bild des runzligen Würstchens unter die Augen:

»Was ist hier göttlich? Bitte zeig's mir!«

»Sein Lächeln.«

»Du weißt, daß in Amerika die besten künstlichen Gebisse hergestellt werden. Was weiter?«

Meine Frau betrachtet das Bild. Ihre Augen umschleiern sich, ihre
Stimme senkt sich zu einem verzückten Raunen:

»Was weiter, was weiter . . . Nichts weiter. Nur daß er auch noch
singen kann wie ein Gott.«

»Er singt? Dieses Foto singt? Ich sehe einen weit aufgerissenen
Mund in einem läppischen Dutzendgesicht, das ist alles. Wer singt
hier? Hörst du Gesang?«

»Ja«, haucht die beste Ehefrau von allen und entschwebt.

Zornig verlasse ich das Haus und kaufe zwei Eintrittskarten zum
ersten Konzert. Ich möchte das Wunder persönlich in Augen-
schein nehmen.

Meine Frau schlingt die Arme um mich und küßt mich zum erstenmal seit vielen Stunden:

»Karten für Sinatra . . . für mich . . .!«

Und schon eilt sie zum Telefon, um ihre Schneiderin anzurufen.
Sie kann doch nicht in alten Fetzen zu einem Sinatra-Konzert gehen, sagt sie.

»Natürlich nicht«, bestätige ich. »Wenn er dich in deinem neuen
Kleid in der neunzehnten Reihe sitzen sieht, hört er sofort zu singen auf und –«

»Sprich keinen Unsinn. Niemand unterbricht sich mitten im Singen. Da sieht man, daß du nichts verstehst . . .«

Ich brachte Bilder von Marlon Brando, von Curd Jürgens und von
Michelangelos »David« nach Hause. Sie wirkten nicht. Nur Fran-
kie wirkt. Nur Frankie. »Sah Liebe jemals mit den Augen? Nein!«
Heißt es bei Shakespeare, der kein Frankophiler war.

Am nächsten Tag entnahm ich der Zeitung eine gute Nachricht
und gab sie sofort an meine Frau weiter:

»Dein Liebling Frankenstein bestreitet nur das halbe Programm.
Nur eine Stunde. Die andere Hälfte besteht aus Synagogalgesän-
gen und jemenitischen Volksliedern. Was sagst du dazu?«

Die Antwort kam in beseligtem Flüsterton:

»Eine ganze Stunde mit Frankie . . . Wie schön . . .«

Ich nahm das Vergrößerungsglas zur Hand, das ich auf dem
Heimweg gekauft hatte, und unterzog Frankieboys Foto einer ge-
nauen Prüfung: »Seine Perücke scheint ein wenig verrutscht zu
sein, findest du nicht?«

»Wen kümmert das? Außerdem singt er manche Nummern im Hut.«

Im Hut. Wie verführerisch. Wie sexy. Wahrscheinlich wurde der Hut eigens für ihn entworfen, mit Hilfe eines Seismographen, der die Schwingungen weiblicher Herzbeben genau registriert. Er hat ja auch eine ganze Schar von Hofschranzen und Hofschreibern um sich, von denen die Presse mit wahrheitsgemäßen Schilderungen seiner Liebesabenteuer versorgt wird. Überdies befinden sich in seinem Gefolge fünf junge Damen, die sich geschickt unter den Zuschauern verteilen und beim ersten halbwegs geeigneten Refrain in Ohnmacht fallen, was dann weitere Ohnmachtsanfälle im weiblichen Publikum auslöst. Sein Privatflugzeug enthält ferner Ärzte, Wissenschaftler und Meinungsforscher, ein tragbares Elektronengehirn, einen Computer, Ton- und Stimmbänder, drei zusammenlegbare Leibwächter, einen Konteradmiral und zahlreiche Nullen, darunter ihn selbst.

Obwohl ich die Häusermauern unserer Stadt mit der Aufschrift FRANKIE GO HOME! bedeckt hatte, war das Konzert schon Tage zuvor ausverkauft.

Gestern verlautbarte die Tagespresse, daß Frankie nur eine halbe Stunde lang singen würde. Der Kinderchor von Ramat-Gan, die Tanzgruppe des Kibbuz Chefzibah und Rezitationen eines Cousins des Veranstalters würden das Programm ergänzen.

»Gut so«, stellte die beste Ehefrau von allen nüchtern fest. »Mehr als eine halbe Stunde mit Frankie könnte ich ohnehin nicht aushalten. Es wäre zu aufregend . . .«

Unter diesen Umständen verzichtete ich darauf, das Konzert zu besuchen. Meine Frau versteigerte die zweite Karte unter ihren Freundinnen. Für den Erlös kaufte sie sich ein Paar mondäne Schuhe (neuestes Modell), mehrere Flaschen Parfüm und eine neue Frisur.

Zum Abschluß dieses traurigen Kapitels gebe ich noch den wahren Grund bekannt, warum ich mich entschloß, zu Hause zu bleiben. Es war ein Alptraum, der mich in der Nacht vor dem Konzert heimgesucht hatte:

Ich sah Frankie auf die Bühne kommen, umbrandet vom donnernden Applaus des überfüllten Saals . . . Er tritt an die Rampe . . . verbeugt sich . . . das Publikum springt von den Sitzen . . . Hochrufe erklingen, die Ovation will kein Ende nehmen . . . Frankie winkt, setzt das Lächeln Nr. 18 auf . . . Jetzt fallen die ersten Damen in Ohnmacht . . . Frankie winkt abermals . . . Und jetzt, was ist das, die Lichter gehen an, jetzt steigt er vom Podium herab und kommt direkt auf die neunzehnte Reihe zu . . . nein, nicht auf mich, auf meine Frau . . . schon steht er vor ihr und sagt nur ein einziges Wort . . . »Komm!« sagt er, und seine erstklassigen Zähne blitzen . . . Die beste Ehefrau von allen erhebt sich schwankend . . . »Du mußt verstehen, Ephraim«, sagt sie . . . und verläßt an seinem Arm den Saal.

Ich sehe den beiden nach. Ein schönes Paar, das läßt sich nicht leugnen.

Wenn meine Frau nicht diese neuen Schuhe genommen hätte, wären die beiden sogar gleich groß.

Karriere beim Fernsehen

Bevor die große Wende in meinem Leben eintrat, war es in farblose Anonymität gehüllt. Nur äußerst selten glückte es mir, eine Art öffentlicher Anerkennung zu erringen – zum Beispiel, als die von mir verfaßte »Hebräische Enzyklopädie« (2 Bände) in der Rubrik »Büchereinlauf« einer vielgelesenen Frauenzeitschrift besondere Erwähnung fand: »E. Kish. Hebr. Enz. 24 Bd.« Ferner entsinne ich mich, während einer meiner Sommerurlaube den Kilimandscharo bezwungen zu haben, und wenn der Reuter-Korrespondent damals nicht die Grippe bekommen hätte, wäre ich bestimmt in den Rundfunknachrichten erwähnt worden. Ein paar Jahre später komponierte ich Beethovens 10. Symphonie und bekam eine nicht ungünstige Kritik in der »Bastel-Ecke« einer jiddischen Wochenzeitung. Ein anderer Höhepunkt meines Lebens ergab sich, als ich ein Heilmittel gegen den Krebs entdeckte und daraufhin vom Gesundheitsminister empfangen wurde; er unterhielt sich mit mir volle sieben Minuten, bis zum Eintreffen der Delegation aus Uruguay. Sonst noch etwas? Richtig, nach Erscheinen meiner »Kurzgefaßten Geschichte des jüdischen Volkes von Abraham bis Golda« wurde ich vom Nachtstudio des Staatlichen Rundfunks interviewt. Aber für den Mann auf der Straße blieb ich ein Niemand.

Und dann, wie gesagt, kam die große Wende.

Sie kam aus blauem Himmel und auf offener Straße. Ein Kind trat auf mich zu, hielt mir ein Mikrofon vor den Mund und fragte mich nach meiner Meinung über die Lage. Ich antwortete:

»Kein Anlaß zur Besorgnis.«

Dann ging ich nach Hause und dachte nicht weiter daran. Als ich mit der besten Ehefrau von allen beim Abendessen saß, ertönte plötzlich aus dem Nebenzimmer – wo unsere Kinder vor dem Fernsehschirm hockten und sich auf dem Fußboden verkösigten – ein markerschütternder Schrei. Gleich darauf erschien der Knabe Amir in der Tür, zitternd vor Aufregung.

»Papi!« stieß er hervor. »Im Fernsehen . . . Papi . . . du warst im Fernsehen . . . !«

Er begann unartikuliert zu jauchzen, erlitt einen Hustenanfall und brachte kein Wort hervor. Der Arzt, den wir sofort herbeiriefen, wartete gar nicht erst, bis er ins Zimmer trat. Schon auf der Stiege brüllte er:

»Ich hab Sie gesehen! Ich hab gehört, was Sie im Fernsehen gesagt haben! Kein Anlaß zur Besorgnis!«

Jetzt erinnerte ich mich, daß neben dem Mikrofonkind noch ein anderes mit einem andern Gegenstand in der Hand postiert gewesen war und daß irgend etwas leise gesurrt hatte, während ich mich zur Lage äußerte.

In diesem Augenblick ging das Telefon.

»Ich danke Ihnen«, sagte eine zittrige Frauenstimme. »Ich lebe seit sechzig Jahren in Jerusalem und danke Ihnen im Namen der Menschheit.«

Die ersten Blumen trafen ein. Der Sprecher des Parlaments hatte ihnen ein Kärtchen beigelegt: »Ihr unverzagter Optimismus bewegt mich tief. Ich wünsche Ihren Unternehmungen viel Erfolg und bitte um zwei Fotos mit Ihrem Namenszug.«

Immer mehr Nachbarn kamen, stellten sich längs der Wände auf und betrachteten mich ehrfurchtsvoll. Ein paar Wagemutige traten näher an mich heran, berührten den Saum meines Gewandes und wandten sich rasch ab, um ihrer Gefühlsaufwallung Herr zu werden.

Es waren glorreiche Tage, es war eine wunderbare Zeit, es war die Erfüllung lang verschollener Jugendträume. Auf der Straße blieben die Menschen stehen und raunten hinter meinem Rücken.

»Da geht er . . . Ja, das ist er . . . Kein Anlaß zur Besorgnis . . . Er hat es im Fernsehen gesagt . . .«

Die Verkäuferin eines Zigarettenladens riß bei meinem Eintritt den Mund auf, japste nach Luft und fiel in Ohnmacht. Damen meiner Bekanntschaft, die mich bisher nie beachtet hatten, warfen mir verräterisch funkelnde Blicke zu. Und Blumen, Blumen, Blumen . . .

Auch im Verhalten der besten Ehefrau von allen änderte sich etwas, und zwar zu meinen Gunsten. Eines Nachts erwachte ich mit dem unbestimmten Gefühl, daß mich jemand ansah. Es war meine Ehefrau. Das Mondlicht flutete durchs Zimmer, sie hatte sich auf den Ellbogen gestützt und sah mich an, als sähe sie mich zum erstenmal im Leben.

»Ephraim«, säuselte sie. »Im Profil erinnerst du mich an Ringo Starr.«

Sogar an mir selbst nahm ich Veränderungen wahr. Mein Schritt wurde elastischer, mein Körper spannte sich, meine Mutter behauptete, ich wäre um mindestens drei Zentimeter gewachsen. Wenn ich an einem Gespräch teilnahm, begann ich meistens mit den Worten: »Gestatten Sie einem Menschen, der sich auch schon im Fernsehen geäußert hat, seine Meinung zu sagen . . .«

Nach all den Fehlschlägen der vergangenen Jahre, nach all den vergeblichen Bemühungen, mit Enzyklopädien und Symphonien und derlei läppischem Zeug etwas zu erreichen, schmeckte ich endlich das süße Labsal des Ruhms. Nach konservativen Schätzungen hatten mich am Dienstag sämtliche Einwohner des Landes auf dem Bildschirm gesehen, mit Ausnahme eines gewissen Jehuda Grünspan, der sich damit entschuldigte, daß gerade bei meinem Auftritt eine Röhre seines Apparats zu Bruch gegangen sei. Aus purer Gefälligkeit habe ich das Interview für ihn brieflich rekonstruiert.

Aller Voraussicht nach wird unsere Straße in »Interview-Straße« umbenannt werden, vielleicht auch in »Boulevard des keinen Anlasses«. Ich habe jedenfalls neue Visitenkarten in Auftrag gegeben:

EPHRAIM KISHON
Schöpfer des Fernsehkommentars
»Kein Anlaß zur Besorgnis«

Manchmal, an langen Abenden, fächere ich diese Karten vor mir auf und betrachte sie. Etwas Tröstliches geht von ihnen aus, und ich kann Trost gebrauchen. Die undankbare Menge beginnt mich zu vergessen. Immer öfter geschieht es, daß Leute auf der Straße glatt an mir vorbeisehen oder durch mich hindurch, als ob ich ein ganz gewöhnlicher Mensch wäre, der noch nie im Fernsehen aufgetreten ist. Ich habe in Jerusalem nachgefragt, ob eine Wiederholung der Sendung geplant ist, um das Erinnerungsvermögen des Publikums ein wenig aufzufrischen. Die Antwort war negativ.

Ich treibe mich auf der Straße herum und halte Ausschau nach Kindern mit Mikrofonen oder surrenden Gegenständen in der Hand. Entweder sind keine da, oder sie fragen mich nicht. Unlängst saß ich in der Oper. Kurz vor dem Aufgehen des Vorhangs kam ein Kameraträger direkt auf mich zu – und richtete im letzten

Augenblick den Apparat auf meinen Nebenmann, der in der Nase bohrte. Auch ich begann zu bohren, aber es half nichts.

Vor ein paar Tagen benachrichtigte man mich, daß ich für meine jüngste Novelle den Bialik-Preis gewonnen hätte. Ich eilte in die Sendezentrale und erkundigte mich, ob das Fernsehen zur Preisverteilung käme. Da man mir keine Garantie geben konnte, sagte ich meine Teilnahme ab. Beim Verlassen des Gebäudes hat mir eine Raumpflegerin der Aufnahmehalle B versprochen, mich unter die Komparsen der Sendereihe »Mensch, ärgere dich nicht!« einzuschmuggeln. Ich fasse neuen Mut.

UM HAARESLÄNGE

Der Jom-Kippur-Krieg hat tiefe Spuren in der Seele meines zweit-geborenen Sohnes Amir hinterlassen. Unter dem Eindruck des historischen Ereignisses hat der Knabe aufgehört, seine Zähne zu putzen, und lehnt es noch unversöhnlicher als vorher ab, sich die Haare schneiden zu lassen. Er findet, daß man sich mit derlei lä-cherlichen Kleinigkeiten nicht abgeben könne, während unsere Soldaten an der Front stehen.

Was die Abschaffung des Zähneputzens betrifft, waren wir nicht übermäßig beunruhigt. Auch gelb ist eine hübsche Farbe. Aber Amirs lockiges Haar – welches obendrein, wie man weiß, rot ist – reicht ihm bereits bis zur Schulter, und vorne fällt es ihm derge-stalt über die Augen, daß er nicht einmal annähernd wie ein wohl-erzogenes Kind aus guter Familie aussieht, sondern wie ein tibeti-scher Chow-Chow zur Winterszeit. Der schmerzliche Unterschied besteht darin, daß Hunde mit einem scharfen Geruchssinn ausge-stattet sind, der sie für die Beeinträchtigung ihrer Sehkraft schad-los hält. Amir hingegen kann sich nur noch tastend vorwärtsbe-wegen.

»Ephraim«, sprach seine Mutter zu mir, »dein Sohn ähnelt im-mer mehr dem von Wölfen aufgezogenen Dschungelknaben Mowgli.«

Warum sie das mir gesagt hat und nicht ihm, weiß ich nicht. Je-denfalls beharrt der kleine Wölfling auf seinem ideologisch unter-bauten Standpunkt, daß er sich die Haare nicht eher schneiden las-sen würde, als bis wir offiziell Frieden haben. Meinem Alternativ-Vorschlag, es lieber umgekehrt zu halten – also sich bis auf weiteres einem regelmäßigen Haarschnitt zu unterziehen und erst nach Abschluß eines Friedensvertrags damit aufzuhören –, wollte er nicht nähertreten. Damit brachte er seine Eltern in eine schwierige Lage, denn wir verabscheuen es, ihm unsere Autorität aufzuzwingen, teils aus pädagogischen Gründen, teils weil er beißt. Anderseits bin ich allergisch gegen Miniatur-Hippies, be-sonders im eigenen Haus.

Nicht als ob wir vor dem Oktoberkrieg ein leichtes Leben gehabt hätten. Amir entwickelte schon im Alter von zwei Jahren einen heftigen Widerstand gegen jegliche Haarpflege, womit er sich durchaus im Einklang mit den Anti-Establishment-Tendenzen der Yeah-Yeah-Generation auf der ganzen Welt befand. Dabei ist es in den seither vergangenen Jahren geblieben. Das letztemal gelang es uns im Februar, ihn zum Friseur zu schleppen, und auch das nur unter Anwendung des Systems Dr. Kissinger: es würden, so versprachen wir ihm, nur ganz kleine Grenzkorrekturen an beiden Seitenfronten seines Kopfes vorgenommen werden, und dafür winkte ihm reicher Lohn im nächstgelegenen Spielzeugladen . . .

»Der Sohn eines angesehenen Schriftstellers«, gab seine Mutter ihm zu bedenken, »kann nicht wie ein Zottelhund herumlaufen, das mußt du doch zugeben.«

Der Sohn nickte verzweifelt und ließ sich mit der Miene eines zum Tode Verurteilten in den Friseursessel fallen. Er bat sogar um einen Rabbiner, aber das überhörten wir. Die Prozedur ging dann verhältnismäßig glatt vonstatten, Amir trat den Haarschneider nur zweimal ins Schienbein, schwor ihm abschließend ewige Rache und sah hernach geradezu menschlich aus. Diese Täuschung blieb noch wochenlang aufrecht.

Und dann kam der Oktoberkrieg – mit einer unerwarteten moralischen Rechtfertigung für Amir. Als im Fernsehen die Aufnahmen von der Überquerung des Suezkanals gezeigt wurden, deutete Amir triumphierend auf den Bildschirm: »Seht ihr? Auch unsere Soldaten lassen sich nicht die Haare schneiden!«

Das traf tatsächlich zu, wahrscheinlich infolge der Eile, mit der man sie fünf Minuten vor zwölf einberufen hatte. Fast unter allen Helmen lugten die langen Haare unserer tapferen jungen Samsonsöhne hervor, ohne die leiseste Rücksicht auf Amirs Eltern. Nach den Fernsehbildern zu schließen, hat die israelische Armee auch keine Zeit zum Rasieren. Natürlich beeindruckt das einen kleinen rothaarigen Trotzkopf wie Amir.

Mein Schwiegervater versuchte es mit ökonomischer Bestechung:

»Wenn du dir die Haare schneiden läßt, bekommst du von mir ein Abonnement auf die ›Tierwelt‹. Ein Jahresabonnement!«

Amir entschied sich gegen die wilden Tiere und für die wilden Haare.

Ich bot ihm ein Fahrrad an. Als er auch das ablehnte, wußte ich, daß es ihm ernst war.

»Diesmal wird er kämpfen«, prophezeite die beste Ehefrau von allen, und sie hatte recht. Unserem Versuch, ihn im Badezimmer zu überwältigen, begegnete er mit einem Geheul von so unheimlich stereophonischer Lautstärke, daß wir den Rückzug antraten.

Vielleicht wird der oder jener sich fragen, warum wir ihn nicht im Schlaf mit dem Ausruf »Eltern über dir, Amir!« seiner Haartracht entledigten. Nun, erstens sind wir keine Philister, und zweitens schläft Amir mit einem stählernen Lineal unterm Kopfpolster. Es sind unsichere Zeiten.

Seit dem Zwischenfall im Badezimmer trägt er offene Siegessicherheit zur Schau, läßt seine Mähne absichtlich über die Augen fallen und stößt mehrmals am Tag gegen diverse Möbelstücke.

Einem bedrängten Vater bleibt unter solchen Umständen als letzte Hoffnung ein Gespräch unter vier Augen, von Mann zu Mann:

»Was hast du eigentlich dagegen, dir die Haare schneiden zu lassen, mein Sohn?«

»Ich trage sie lieber lang.«

»Und warum?«

»Dazu wachsen sie ja. Gott hat es so gewollt.«

»Also dürften wir uns auch nicht die Nägel schneiden?«

»Richtig.«

Kein sehr überzeugendes Argument, das ich da gebraucht hatte. Ich muß intelligenter zu Werke gehen:

»Wenn du so lange Haare trägst, werden dich die Leute für ein Mädchen halten.«

»Ist es eine Schande, ein Mädchen zu sein?«

»Nein. Aber du bist keines.«

»Und dafür willst du mich bestrafen?«

Es war nichts mit dem männlichen Gespräch.

Ich bat die beste Ehefrau von allen zu einer vertraulichen Konferenz in die Küche, wo wir einen erfolgverheißenden Schlachtplan entwarfen. Wir würden ihm die Haare unter Narkose kürzen, beschlossen wir. Ich packe Amir von hinten und halte ihn eisern umklammert, während Mutti ihm ein chloroformgetränktes Taschentuch unter die Nase hält. Dann haben wir zehn Minuten Zeit für die Operation. Vielleicht können wir ihm bei dieser Gelegenheit auch die Zähne putzen. Und sogar seine Socken wechseln.

Amir scheint etwas zu ahnen. Seit neuestem streicht er immer nur mit dem Rücken zur Wand durchs Haus, eine Hand in der Tasche. Sollte er bewaffnet sein?

Höchste Zeit, daß es zu einem offiziellen Friedensschluß kommt.

BERUFSSORGEN MIT AMIR

Sooft mein Blick in der letzten Zeit auf meinen langbeinigen, rothaarigen Sohn Amir fällt, überkommt mich die Sorge, welchen Beruf er ergreifen soll. Die Entscheidung läßt sich nicht mehr lange aufschieben. Er wird bald dreizehn, und obwohl die hoffentlich zahlreichen Schecks, die er zur Feier seiner Bar-Mizwah einheimsen wird, ihm und seinen geplagten Eltern eine freundliche Zukunft sichern müßten, läßt es sich auf die Dauer nicht umgehen, einen passenden Beruf für ihn auszusuchen. Aber welcher Beruf paßt für ihn?

Amirs undurchdringliche Wesensart läßt nicht die leiseste Vorliebe für eine bestimmte Art des Broterwerbs erkennen. Andere Kinder kommen zu ihren Eltern und teilen ihnen rechtzeitig mit, daß sie Autobusfahrer werden wollen oder Zuckerbäcker, Ministerpräsidenten, Löwenbändiger, Generäle – was immer. Nicht so Amir.

Als sein Lehrer ihn neulich fragte: »Was willst du einmal werden, Amir?« antwortete er ohne nachzudenken:

»Tourist.«

»Das ist kein Beruf«, unterrichtete ihn der Lehrer.

»Nicht? Dann bleibe ich ein Kind.«

Dieser Vorsatz verriet zweifellos eine philosophische Einstellung zum Leben und schien ihn somit für die Philosophenlaufbahn zu prädestinieren. Aber wieviel verdient so ein Philosoph? Wo rangiert er in der Einkommensskala unserer Gesellschaft? Und vor allem: Muß er Empfangsbestätigungen ausstellen? Eines steht fest: Unser Sohn soll keinen Beruf ergreifen, der ihn zur Ausstellung von Empfangsbestätigungen nötigt, denn das könnte ihn in Schwierigkeiten mit der mörderisch hohen israelischen Einkommenssteuer bringen. Oder wie seine Mutter formulierte:

»Der ideale Beruf ist, wenn man die Einnahmen als Spesen absetzen kann.«

Aus dieser Erwägung sowie im Hinblick auf Amirs manuelle Geschicklichkeit beschlossen wir, entweder einen Maurer oder einen Gynäkologen aus ihm zu machen. Wir kamen jedoch bald wieder davon ab, weil der erste dieser beiden Berufe gefährlich ist – man muß auf Leitern steigen, und das sieht Mutti nicht gerne –, der zweite hingegen könnte ihn langweilen oder aufregen; weder das eine noch das andere erschien uns wünschenswert.

Amirs einzig konstruktiver Gegenvorschlag lautete:

»Billeteur im Kino.«

Und damit ließ sich nicht viel anfangen.

Wenn er wenigstens musikalisch wäre! Dann könnte er Klavierstimmer werden und 150 Pfund für die halbe Stunde kassieren, bitte in bar, danke, auf Wiedersehen.

Oder wenn er eine andere künstlerische Neigung hätte, beispielsweise zum Malen! Wir würden ihn als Kraftwagenkennzeichentafelmaler ausbilden lassen und hätten ausgesorgt. Die Prozedur ist denkbar einfach. Man muß nur an der einschlägigen Stelle – dort, wo die Führerscheine ausgestellt oder erneuert werden – einen guten Freund finden, der dem Antragsteller zu verstehen gibt, daß seine etwas undeutlich gewordene Nummerntafel dringend der Auffrischung bedarf – und schon saust dieser, von wilder Panik erfaßt, in die Arme des zufällig draußen stehenden Auffrischers. Ein paar kräftige Pinselstriche – 25 Pfund in bar – besten Dank. Man hört von israelischen Nummernmalern, die auf eine Tageseinnahme von tausend Pfund kommen. Und der Beruf verlangt keine akademische Schulung.

»Lieber Gott, bitte, laß unseren Sohn nicht studieren wollen!« pflegte seine gute Mutter zu beten. »Sonst wird er am Ende noch ein Universitätsprofessor.«

Nein, wenn er schon ein Lehramt ausüben soll, dann das eines Fahrlehrers. Noch besser täte er, sich in Safed einen Laden mit Auto-Ersatzteilen einzurichten. In dieser mittelalterlichen Stadt, dem Juwel Galiläas, werden im Zuge der Sanierungsarbeiten allnächtlich Dutzende geparkter Autos von rücksichtslosen Straßenarbeitertrupps beschädigt, weshalb Dinge wie Rückspiegel, Scheinwerfer, Scheibenwischer und dergleichen ständig gefragt sind. Ein aussichtsreicher Beruf.

Was gäbe es sonst noch?

Amir ist leider nicht religiös und kommt infolgedessen als Überwacher einer koscheren Konservenfabrik nicht in Betracht. Schade. Er hätte nichts weiter zu tun, als sich einen langen Bart wachsen zu lassen, gravitätisch die Herstellungsräume zu durchschreiten und im gegebenen Augenblick wegzuschauen. Leckere Kostproben und knisternde Banknoten unterm Teller vervollständigen den Reiz dieses Erwerbszweiges.

Schließlich kann man noch den Sport ins Auge fassen, genauer – schon um die Gefahr körperlicher Überanstrengung auszuschließen – das Amt eines Trainers. Es ist zwar gegen Empfangsbestätigungen nicht gefeit, bringt aber allerlei Auslandsreisen, Siegesprämien und andere Vergünstigungen mit sich. Und vor allem: es ist leicht zu erlernen. Die hochempfindlichen Mikrofone, die neuerdings bei Fernsehübertragungen von Basketballspielen verwendet werden, haben das für jedermann deutlich gemacht. Früher hörte man den Trainer »Time!« rufen und sah, wie er auf die ihn umdrängenden Spieler gebärdenreich einsprach. Was er sagte – und was von geheimen Zauberformeln zu strotzen schien –, hörte man nicht. Jetzt, seit sich die neuen Supermikrofone ganz nahe an ihn heranpirschen, hört man's: »Ihr Idioten!« sagt er. »Patzt nicht so viel im Mittelfeld herum! Mehr laufen! Mehr kombinieren! Mehr Körbe! Los!« Vielleicht wendet er sich auch noch an den schwarzen Gast-Star: »Du viel Geld kriegen, Bastard! Du besser spielen! Sonst –!« Das ist alles. Und das müßte auch unser Amir können. Ich werde ihn in einen Kurs für Basketballtrainer einschreiben.